CAR

1913

SCHAUSPIEL IN DREI AUFZÜGEN

MIT EINEM NACHWORT VON
HEINRICH VORMWEG

PHILIPP RECLAM JUN. STUTTGART

Universal-Bibliothek Nr. 8759
Alle Rechte vorbehalten. © 1963 Hermann Luchterhand Verlag
GmbH, Neuwied am Rhein, Berlin 20, mit dessen Genehmigung
diese Ausgabe erscheint. Gesetzt in Petit Garamond-Antiqua.
Printed in Germany 1972. Herstellung: Reclam Stuttgart
ISBN 3 15 008759 7

Dem Andenken
Ernst Stadlers, des Dichters

Motto: Es ist immer nur ein wenig,
was der Welt zur Erlösung fehlt.

PERSONEN

Freiherr Christian Maske
   von Buchow, *Exzellenz*
Philipp Ernst
Ottilie
Gräfin Sofie   } *seine Kinder*
   von Beeskow
Graf Otto von Beeskow,
   sein Schwiegersohn
Hartwig Prinz Oels
Wilhelm Krey, *Sekretär*
Friedrich Stadler
Easton, *Schneider*
Der Pfarrer
Ein Diener

*Die Szene ist dauernd die Bibliothek
      auf Schloß Buchow*

ERSTER AUFZUG

ERSTER AUFTRITT

W i l h e l m *(hinter dem Schreibtisch).* Doch! In den Sätzen dieses Briefes ist das Problem auf die Spitze gebracht. *(Liest.)* „Ich wies Euch unsere durch Geschichte bestätigten Tugenden, und welche neuen Tüchtigkeiten der Zeitdeutsche durch Assimilierung annektierter Stämme hinzugewonnen hat. Entgegengestellt wurden die Fähigkeiten, mit welchen in heutiger Epoche alle Erfolge errungen werden, und es erhellt, die eigenen Eigenschaften und Ziele eines großen Volkes, nicht genannt, schlafen noch. Wie überall ist auch bei uns fiebernden Gehirnen einzig die internationale Sucht nach dem Gold affichiert."

Nun im Programm Schlagworte für die Propaganda. *(Liest.)* „Uns Schwindlige stellt ein Ruf auf den Boden dieser Einsicht: von menschlichen Problemen, von jeder Verbrüderung über Grenzpfähle sehen wir ab. Wir wollen zwar menschliche Menschen, aber Deutsche wollen wir vor allem sein. Mit Bewußtsein forschen wir nach unserem Wesentlichen, heben die neue deutsche Idee, die jede Seele im Vaterland mit gleicher Sorge umfaßt, hoch über den verwaschenen Zeitgeist und, uns selbst mit Begeisterung ehrend, empfinden wir Achtung vor dem Fremden, Bedeutenden." *(Steht auf.)* Wie schön das ist: eine heilige, allgemeine, vaterländische Verbrüderung und allgemeine deutsche Ideen. Ich danke sie diesem Haus, in das mich ein Zufall warf. Sein krasser kapitalistischer Geist brachte die innersten Organe zur Empörung, und nun trägt mich jede Stunde einem ungeheuren Ziel, der befreienden Tat näher. Kuvert!

ZWEITER AUFTRITT

O t t i l i e *(tritt auf).* Guten Morgen.

W i l h e l m *(verbeugt sich).*

O t t i l i e *(nach Stillschweigen).* Kommt Baron Philipp Ernst mit dem Elfuhrzug?

W i l h e l m. Die Zimmer Ihres Bruders sind für die Stunde in Bereitschaft.

O t t i l i e. Unseres Vaters Zustand ängstigt ihn.

W i l h e l m. Exzellenz sind kränker, als es scheint.

O t t i l i e *(pfeift einen Gassenhauer; dann Schweigen).* Meine Schwester und Schwager Freitag, bringen die Prinzessin und den Prinzen Oels mit.

W i l h e l m. Alles ist zum Empfang der Herrschaften bereit.

O t t i l i e. Ist ein Buch „Geschlecht und Charakter" angekommen?

W i l h e l m. Es kam und wurde eingeordnet.

O t t i l i e. Wollen Sie's mir geben?

W i l h e l m. Ich bin ohne Exzellenz' Erlaubnis nicht befugt.

O t t i l i e. Das Buch ist, von mir bestellt, mein Eigentum.

W i l h e l m. Wollen Sie es selbst nehmen.

O t t i l i e. Es wird Ihnen befohlen.

W i l h e l m. Ich erhalte Aufträge nur von Seiner Exzellenz.

O t t i l i e. Wo steht es?

W i l h e l m. Im zweiten Schrank, erstes Fach von oben unter W.

O t t i l i e *(tritt zum Schrank und sieht, das Buch steht sehr hoch).* Darf ich Sie bitten, mir behilflich zu sein.

W i l h e l m. Ich ersuche, es mir erlassen zu wollen.

O t t i l i e. Warum?

W i l h e l m. Ich möchte die Frage unbeantwortet lassen.

O t t i l i e. Das Buch gehört doch nach Ihrer Auffassung in die Hand eines jungen Mädchens, oder nicht?

W i l h e l m. Über meine Gründe wage ich nicht, mich zu verbreiten.

O t t i l i e *(läuft zum Schrank, stellt die Leiter an, steigt hinauf und nimmt das Buch).* Auch mit Ihrem Stillschweigen überschreiten Sie die Distanz, die ein Angestellter zu Handlungen der Herrschaft einzuhalten hat.
W i l h e l m *(erhebt sich und geht zur Tür).*
O t t i l i e. Helfen Sie mir herunter! Ich bin schwindlig.
W i l h e l m *(exit).*
O t t i l i e *(gleitet, halb fällt sie die Leiter herunter und bleibt unten liegen).*

DRITTER AUFTRITT

C h r i s t i a n *(tritt auf).* Ottilie! *(Hebt sie auf, setzt sie in einen Stuhl.)* Ich hatte einen üblen Traum; da ist er erfüllt.
O t t i l i e. Das Buch nehmend, verlor ich Gleichgewicht.
C h r i s t i a n. Schmerzen?
O t t i l i e. Nirgends.
C h r i s t i a n. Ein zerbrochenes Bein wird durch die beste Buchweisheit nicht aufgewogen. Was wolltest du erfahren?
O t t i l i e. Der junge Verfasser des Buches erschoß sich, weil er seelisches Neuland von solchem Umfang entdeckte ...
C h r i s t i a n *(lacht).* Er tat recht! Seelisches Neuland! Seit sechzig Jahren stehe ich Menschenbataillonen als Kommandeur gegenüber und habe mir nicht mehr als ein paar Kommandos, die auf uralte primitive Empfindungen zielen, zurechtlegen können. Und mit dem wenigen stehe ich über Zeitgenossen, die überhaupt nicht mehr wissen, mit welchem Anruf die wie Unkraut wuchernden Massen packen. Dein Autor ist auf widerliche Art verrückt. Fünfundsechzig Millionen Fresser in Deutschland auf fünfhundertvierzigtausend Quadratkilometer. Da wird ein Trieb im Wettkampf hypertroph: satt werden. Geschlechtsliebe sogar verkümmert. Und seelisches Neuland! Du vertrödelst wichtige Stunden.
O t t i l i e. Ich habe Zeit genug.

C h r i s t i a n. Vom fünfzehnten bis zwanzigsten fünf Jahre des Reifens. Achtzehnhundert Tage. Dieser Schmöker ist umfangreich. Fünf Tage wirfst du an das Panacée. Hast du die drei Minuten vor der Seele, die Barras Napoleon gab, mit der Übernahme des Armeekommandos sein Leben zu entscheiden? Sie standen sich gegenüber Auge in Auge stumm; dann rief Bonaparte: ja! Ist dir die Geste des 18. Brumaire gewärtig?

O t t i l i e. Ich bin kein Politiker.

C h r i s t i a n. Mit seinem Leben sei's jeder Mensch! Du aber sollst später für fünfzehntausend Arbeiter unserer Betriebe entscheiden. Da braucht's Vorbilder.

O t t i l i e. Wir sind zu dritt.

C h r i s t i a n. Für solchen Plunder hast du keine Minute.

O t t i l i e. Statt Polo zu spielen.

C h r i s t i a n. Polo ist unschätzbar. Gibt Blick für Distanzen. Für die Nähe des Gegners, und welches! Mit den Alteingesessenen des Landes spielst du nicht nur Polo, sondern um Geltung. Tausend Jahre, die deine Voreltern ein namenloses Dasein führten, sind deine repräsentativen Organe hinter ihnen zurück. Da heißt's mit der letzten Übersetzung fahren, um beizukommen. Hast du an meinem Leben kein Beispiel?

O t t i l i e. Ein abschreckendes, Väterchen. Wie eine Granate saust du durchs Haus. Bist du im Zimmer, ist's, als steht die Tür auf.

C h r i s t i a n. Dasein mit Ziel! Hab's doch für meinen Liebling zu etwas gebracht. Genug ist nicht genug! Weil, wird's nicht mehr, es weniger wird. Endlich mußt du die Griffe fürs Leben lernen.

O t t i l i e. Jedem gehorcht Welt nicht.

C h r i s t i a n. Dem, der Mut zu sich selbst hat. Auch zu seinen Schwächen. Wiederhole vor aller Welt ein dutzendmal, kannst du's nicht leugnen: ich bin habgierig – so wird man's dir endlich als eine Qualität anrechnen. Doch erst mußt du mit dem nötigen Nachdruck *dir* die Eigenschaft gestanden haben.

O t t i l i e. Soll ein junges Mädchen von sich sagen ...

C h r i s t i a n. Als künftiger Chef von Christian Maske

AG kannst du von dir behaupten, was du magst. Nachgesagte gute Eigenschaften braucht ein Stellungsuchender. Was hast du?

O t t i l i e. Ich denke über dein Wort nach.

C h r i s t i a n. Was gibt's da weiter?

O t t i l i e. Es macht schwindlig. Nicht unterdrücken, was man heimlich wünscht; nichts unterlassen?

C h r i s t i a n. Mädel, im Dunkeln, was denkst du?

O t t i l i e. Hier ist's zu hell dazu.

C h r i s t i a n. Sag mir's ins Ohr. Ich halte dir die Augen zu.

O t t i l i e *(flüstert ans Ohr des Vaters gelehnt).*

C h r i s t i a n. Machttaumel! Menschen bewältigen — fressen. Recht so! Das ist Rasse!

O t t i l i e *(läuft in einen Vorhang und versteckt sich darin).*

C h r i s t i a n *(zieht sie hervor).* Heraus! Ins Licht die Meinung. Nachdruck in dein Bekenntnis, und erhobenen Haupts gehst du über Sterblichen. Nichts weiter brachte ich in das Zeitalter mit als Selbstmut.

O t t i l i e. Manchmal habe ich ihn. Sofie hat ihn stets, wie du. Sie müßte dein Liebling sein.

C h r i s t i a n. Wann kommt Philipp Ernst?

O t t i l i e. Um elf.

C h r i s t i a n. Euch beide wird sie an die Wand schmettern. Wie oft habe ich's dir und dem Jungen gesagt: Ihr laßt euch das Heft aus der Hand winden. Warum kümmert ihr euch nicht? Eine Obligation kannst du von einer Aktie nicht unterscheiden. Trotz aller Verträge wird sie euch erdrosseln. An der Peripherie des Lebens lauft ihr herum; sie sitzt im Kern und spinnt Fäden. Mit gezücktem Messer nach meinem Tod holt sie dir die Börse aus der Tasche.

O t t i l i e. Nichts ohne meinen Willen.

C h r i s t i a n. Mit allen Hunden ist sie gehetzt. Was hat sie in kurzen Wochen meiner Krankheit, in meiner Stellvertretung für sich ausgerichtet! Von der Morgenröte an läßt sie Telegraphendrähte nicht kalt werden. Dieses Weib denkt in Entladungen, jeder Federstrich ist ein Plus in ihr Konto. Ein Tag Abwesenheit kostet

mich Prestige, Macht, Vermögen. *(Setzt sich.)* So sitzt
sie am Schreibtisch. Jede Hauptbuchseite jedes Werkes
hat sie im Kopf, sie kalkuliert auf den Pfennig genau.
Dem Kunden sieht sie in die Tasche, kennt die ausgelei-
erten Wege seiner Instinkte und jagt ihm Befehle zu,
die er für seinen eigenen Willen hält. In diesem Augenblick – ach solche Kreatur – wie sie gegen mich wühlt!

O t t i l i e. Vater!

C h r i s t i a n. Bin ich von Gott verlassen, hier zu sitzen
und ihr das Feld und Abschlüsse von größter Wichtig-
keit zu überlassen?

O t t i l i e. Du darfst dich durchaus nicht erregen.

   (Das Telephon auf dem Schreibtisch klingelt.)

C h r i s t i a n. Ruhe! *(Am Apparat.)* Wer? Witman?
Die Sitzung gewesen? Bedingungen der holländischen
Regierung – wie? wegen der Gewehrlieferung ja –
vom Aufsichtsrat akzeptiert? Waas?! Laut, Witman!
Geschäft, Zustimmung der holländischen Kammern
vorausgesetzt, perfekt. *(Er läßt den Hörer fallen.)*
Herrgott im Himmel, dieses Aas! Wider meinen aus-
drücklichen Befehl? *(Wieder am Telephon.)* Sind Sie
noch da? Durchschlagender Erfolg der Rede meines
Schwiegersohns? *(Er wirft den Hörer hin.)* Ich habe
genug. Ich närrischer Mann. Pflege hier den alten
Leichnam; dort schlägt mir meine Tochter das Lebens-
werk in Stücke.

O t t i l i e. Was ist mit den holländischen Gewehren?

C h r i s t i a n. Und der wollt ihr zwei Puppen widerstehen? Drei Tage nach meinem Tod seid ihr hinge-
säbelt. Dieser Junge! Habe ich seine Jugend nicht mit
meinen Ideen geführt, und er wird ein Nichtstuer. Und
du hast doch Rasse, eben habe ich dein Herz behorcht.
Komm her! *(Nimmt ihren Kopf und spricht ihr ins
Ohr.)* Wirf Kindheit hin – Scham. Weltmacht – kein
Traum – baumstarke Wirklichkeit. *(Er schlägt auf dem
Schreibtisch ein Buch, das er aus einer Schublade genommen, auf.)* Was ist das für eine Zahl?

O t t i l i e *(steht geschlossenen Auges).*

C h r i s t i a n. Lies – die Zahl!

O t t i l i e. Hundertundzwanzig.

C h r i s t i a n. Millionen! Liebling, kleine Königin. Laß
dir Krallen wachsen, nimm den Kommandostab, greif,
was du willst. Für dich, nicht für die andere ist alles
bestimmt.

O t t i l i e. Ich werde – ich verspreche dir – mit aller
Kraft versuchen.

C h r i s t i a n. Sieh den heimlichsten erschütterndsten
Gedanken ins Gesicht. Was war das im Auge für ein
Blitz? Du weißt einen, der dich packt. Mach ihn zur
Tat! Gleich! Zeig den Probestück! Blut von meinem
Blut. Jung sollst du die Macht in Händen haben, die
ich entbehren mußte.

Granate sagst du? Jetzt wollen wir sie an der richtigen
Stelle krachend krepieren lassen. *(Er klingelt.)* Wie
heißt die Parole? La sensation! Lebendiges, ungezügel-
tes Lebensbewußtsein. Hinaus!

O t t i l i e *(exit).*

VIERTER AUFTRITT

W i l h e l m *(tritt auf).* Exzellenz?

C h r i s t i a n. Sekretär, Zeitkind, wo stecken Sie? Während dringendster Vorgänge? Das Direktorium der
Waffenfabriken hat nach zündender Rede des Grafen
Beeskow die Bedingungen der holländischen Regierung für die Gewehrlieferung angenommen.

W i l h e l m. Gegen Exzellenz' Absichten?

C h r i s t i a n. Gegen mein Verbot. Warum verbot ich's?

W i l h e l m. Exzellenz befürchten einen für uns selbst
in Kürze bevorstehenden Krieg, wollen unsere Werke
für diesen freihalten.

C h r i s t i a n. Und die Konkurrenz mit der holländischen Lieferung festlegen. Dazu sind die schließlich
bewilligten Preise verlustbringend. Als was stellt sich
das Vorgehen des von meiner Tochter am Seil geführ-
ten Schwiegersohns dar? Als Palastrevolution. Warum
ließen Sie mich nicht nach Berlin? Rekonvaleszent bin
ich? Was soll der gepflegte Kadaver, bläst man dort
meinem Geist das Licht aus.

W i l h e l m. Wer hätte der Gräfin diese Tatkraft zugetraut?

C h r i s t i a n. Ich. Seit zwei Jahren suche ich Ihnen den Charakter meiner Tochter klarzumachen.

W i l h e l m. Exzellenz belieben die Gräfin als Beispiel eines modernen, einseitig auf Machthunger gestellten Wesens hinzustellen, während mein Empfinden nicht zuläßt ...

C h r i s t i a n. Was läßt Ihr Empfinden nicht zu?

W i l h e l m. Ich schweige, mißfalle ich Exzellenz.

C h r i s t i a n. Reden Sie!

W i l h e l m. Man kann die in einem Menschen wirbelnden tausendfältigen Empfindungen ...

C h r i s t i a n. Narr! Fünfundsechzig Millionen auf fünfhundertvierzigtausend Quadratkilometer. Magenhunger der Armen. Machthunger der Reichen. Fertig.

W i l h e l m. Nein, Exzellenz!

C h r i s t i a n *(schreit).* Doch!

W i l h e l m *(schweigt).*

C h r i s t i a n *(brüllt).* Doch, doch! Sehen Sie sich gefälligst um in der Welt. Schweben Sie auf, nehmen Sie Vogelperspektive, sehen Sie den Erdball oder Deutschland getrennt an. Sind's vielleicht immer noch nur die Juden? Gewissen, Bengel, Wahrheit! Ringt Euch endlich zu dieser klotzigen Erkenntnis durch, stellt sie monumental vor Euch hin: Magenhunger des Pöbels, Machthunger der Reichen. Sonst nichts. Kurszettel her. Waffenfabriken?

W i l h e l m *(liest).* 264. Sechs Prozent höher.

C h r i s t i a n. Kaffern! Sechs niedriger mußten sie stehen, hätte die Bande Verstand. Dringend Berlin!

W i l h e l m *(meldet am Telephon die Verbindung).*

C h r i s t i a n. Für nach Tisch den Arzt. Abends fahre ich – muß wissen, wie sie's angestellt hat, der Konkurrenz den Auftrag abzujagen.

W i l h e l m. Der Exzellenz mißfällt.

C h r i s t i a n. Für die Welt bleibt's ein Erfolg, der ihre. Ich brenne, ihr Dessin zu kennen, versichere Sie, sie hat einen Saltomortale gesprungen, mich in den Schatten zu drängen.

Wilhelm. Die Gräfin ist bestimmt öffentlich gar nicht genannt.

Christian. Nein. Ihr genügt Bewußtsein der Urheberschaft, die Ehre für den Hanswurst von Gatten, *(laut)* Hanswurst, der ihr nicht einmal ein Kind machen, die Dynastie nicht fortpflanzen konnte.

Wilhelm. Je unbedeutender Graf Beeskow in Wirklichkeit wäre, um so menschlich rührender der Gräfin Bestreben, ihn herauszustellen.

Christian. Zu schlicht gedacht. Die Frau hat doppelten Boden.

(Das Telephon schellt.)

Wilhelm *(am Apparat).* Herr Witman? Exzellenz will Sie sprechen.

Christian. Ein schlechter Spion, dieser Witman. Weiß er jetzt nicht das Genaueste, jage ich ihn fort. *(Am Apparat.)* Wohin waren Sie zum Teufel verschwunden? Gründe, durch die die Holländer bewogen wurden? So – so – so ah! *(Er läßt den Hörer sinken.)* Gott steh mir bei! *(Er nimmt den Hörer auf.)* So – so – gut! *(Er hängt langsam, fast feierlich ab, geht dann zu einem Lehnstuhl, in dem er schweigend sitzt; schließlich stößt er ein Ächzen aus.)*

Wilhelm *(steht lautlos).*

Christian *(erhebt sich; ohne Wilhelm zu bemerken, sagt er ruhig).* Gott steh mir bei. Ich will nicht zum alten Eisen geworfen werden, habe noch dreißig Jahre zu leben. Mein Werk ist alles, ich bin der Schöpfer, der den Abgang nach eigenem Willen hat. Dies kleine mickrige Weib und solch inneres Ausmaß. Denn ihre Pläne sind umfassender, als ich's vorausgesetzt. Hier ist Kampf aufs Messer. Gut. *(Zu Wilhelm.)* Wie es gemacht wurde? Um das Auftauchen der Nachricht der holländischen Bestellungen etwa hat sie laut Witman im Privatleben Nachdruck auf ihr protestantisches Bekenntnis gelegt. Besuchte werktätige Versammlungen, stiftete Krippen. Als nun vor Tagen die Entscheidung an einem Haar hing, machte sie eine bedeutende kirchliche Zuwendung, deren pomphafte Bekanntmachung sich alle Zeitungen angelegen sein ließen. Wir konnten uns hier den Sinn des Handelns nicht erklären. Dann ließ sie durch einen Mittelsmann im Haag den Gedanken auffliegen, es müsse seltsam berühren, gäbe das stockprotestantische Holland katholischen Firmen, eben unserer Konkurrenz, Millionen zu verdienen. Sie, die bisher von ihrem Glauben nicht das geringste gewußt hat.

W i l h e l m. Das ist über alles Begreifen schimpflich.

C h r i s t i a n. Das ist einfach genial, Freundchen.

W i l h e l m. Beweist die Richtigkeit Ihres Urteils über die Gräfin.

C h r i s t i a n. Genial. Das ist jetzt mein Urteil ohne Nebensinn.

W i l h e l m. Exzellenz erlauben mir zu erwidern?

C h r i s t i a n. Nein.

W i l h e l m. Ich *muß* antworten.

C h r i s t i a n. Ruhe! Ist die Handlung folgerichtig?

W i l h e l m. Mit der Voraussetzung, es gibt auf Erden nur materielles Gut zu erwerben ...

C h r i s t i a n. Mit der Voraussetzung.

W i l h e l m. Ist sie genial.

C h r i s t i a n. Den Rest olle Kamellen, behalten Sie für sich. Oder wollen Sie sich moralisch entrüsten, Erziehungsrudimente speien, he?

W i l h e l m. Ich möchte mich nicht lächerlich machen.

C h r i s t i a n. Zurück zum Thema. Diese genialen Instinkte sind gegen mich, mein persönliches Ansehen gerichtet. Vom Direktor bis zum Aktionär soll man wissen, ich bin schon jetzt entbehrlich. Sehen Sie den Fall deutlich?

W i l h e l m. Gewiß.

C h r i s t i a n. Was hieß übrigens, Sie wollen sich nicht lächerlich machen? Vor wem?

W i l h e l m. Vor Exzellenz natürlich.

C h r i s t i a n. Sie sind nicht offen; Ihre Sache. Kurz: was in Berlin vor sich ging, bedeutet die auf den Tisch gehauene Faust.

W i l h e l m. Exzellenz werden auftrumpfen.

C h r i s t i a n. Ich werde, mein Lieber, nur ein wenig die Schleuse der Ideen öffnen, und diese Miniatur-

semiramis wird weggeschwemmt sein. Ich fahre nicht
hinüber, sondern warte hier ihre Ankunft ab, ihr das
Fell so gründlich abzuziehen ...
W i l h e l m. Die Gräfin wird gewappnet kommen.
C h r i s t i a n. Ihr fehlt Experience. Vierzig Jahre sitze
ich am Webstuhl der Zeit. Jede Kombination war schon
einmal da. Mit Bismarck habe ich um Fetzen gerauft,
daß Funken stoben. Der holländische Auftrag geht
durch die Kammer in letzter Minute zurück. Schwöre
ich! Ein Gang unter Bäumen, und ich habe dafür den
Einfall, der das armselige Kerzenlicht ihres Religions-
witzes ausbläst; die Anteilnahme der Beteiligten nicht
nur, der politischen Welt wieder in meine Flamme
reißt. Siebenzig Jahre, Freundchen; aber Flamme immer noch.
W i l h e l m. Exzellenz freut schon der Kampf.
C h r i s t i a n. Die Räder laufen an.
W i l h e l m. Und haben, reißen alle Stricke, noch das
Fest des siebenzigsten Geburtstags am ersten Juli.
C h r i s t i a n. Umgekehrt; vielleicht genügen die ben-
galischen Streichhölzer des Jubiläums, die Welt neu
mit mir zu blenden. Sonst erst lasse ich die Sonne
scheinen. In jedem Fall: Leben vor uns die nächste Zeit
und *(kneift ihn ins Ohr)* Zeitungsausschnitte die
Menge.
Ihre Aufgabe ist, die beiden Kinder uns fester zu ver-
binden. Lassen Sie Ihre Zurückhaltung. Stecken Sie
dem Jungen, dem Mädchen einmal ein dickes Stück
Wirklichkeit in die Zähne. Alle fossilen Spielereien
und Gedankentechtelmechtel endgültig zum Kehricht.
Ein Gang unter Bäumen und ... *(Lachend exit.)*
W i l h e l m *(geht zum Schreibtisch, schreibt)*. Kuvert!
Schnell! An die Geschäftsleitung des Jungnationalen
Verbandes, Berlin. Fort damit! *(Steht auf.)*

FÜNFTER AUFTRITT

P h i l i p p E r n s t *(tritt auf)*. Guten Tag, Doktor,
mein Vater soll hier sein?

W i l h e l m. Exzellenz gingen hinaus, einen Zwischenfall zu überlegen.

P h i l i p p   E r n s t. Überlassen wir ihn diesem. Wissen
Sie, daß mir ein Zwischenfall das Entsetzlichste von
der Welt ist, weil er zwischen zwei angenehme Cho-
sen immer als etwas Peinliches hineinfällt?

W i l h e l m. Es kann auch umgekehrt sein.

P h i l i p p   E r n s t. Wie das?

W i l h e l m. Kann er nicht angenehm eine peinliche Situation unterbrechen?

P h i l i p p   E r n s t. In einem temperierten Dasein ist
der Zwischenfall die einzig denkbare peinliche Situation. Ach, lieber Doktor, gibt es Nachrichten über die
Ankunft meiner Schwester?

W i l h e l m. Freitag abend. Durchlaucht Prinz und Prinzessin Oels werden in Begleitung der Herrschaften
sein.

P h i l i p p   E r n s t. Aber sagen Sie nicht: Prinz und
Prinzessin. Sie sind nicht verheiratet. Geschwister. Die
Prinzessin eine charmante Witwe. Der Bruder zwanzig
Jahre, ein Bürschchen.

W i l h e l m. Ich wußte nicht.

P h i l i p p   E r n s t. Rotblond mit Sommersprossen und
einem Duvet. Die   W i t w e   Doktor. Es ist die, die
den Akzident mit dem Grafen Chamel hatte. Dem
Sportchamel. Deauville. Sie wissen. Feuerwerk, nachts
à la digue. Kasino und so weiter. Wie ist die Zimmer-
ordnung?

W i l h e l m. Für Herrn Baron das gewohnte Apparte-
ment.

P h i l i p p   E r n s t. Sind die Badehähne nachgesehen?
Es klapperte immer eine Angelegenheit. Die Witwe soll
sich jetzt besser anziehen. Bisher immer ein bißchen
kariertes Malweib. Distinguiertes Malweib immerhin –
immerhin schauerlich.

W i l h e l m. Wollten Herr Baron mir bei Gelegenheit
eine Stunde für geschäftliche Mitteilungen –

P h i l i p p   E r n s t. Das paßt. Meinerseits wollte ich
Sie bitten; trage seit drei Monaten ein Bündel Papiere
herum, Abrechnungen. Saldo zu ihren Gunsten usw.

Sie wissen Bescheid; das heißt, man weiß nie, zu wessen Gunsten; netto, brutto – italienisches Kauderwelsch.

W i l h e l m. Wir haben hier eine Kontoseite. Wollen Sie einen Blick herwerfen?

P h i l i p p E r n s t. Ich schwöre Ihnen, Doktor – Sie mögen mich für bebête halten – ich kann nicht, mich würgt's im Hals. Idiosynkrasie. Wie ich keine Hühner in meiner Nähe ertrage, das Geflatter, es ist dieselbe Chose.

W i l h e l m. Eine so einfache Sache. Drei, vier Begriffe nur.

P h i l i p p E r n s t *(außer sich)*. Ich beschwöre Sie, c'est plus fort que moi. Netto, saldo, brutto. *(Er schüttelt sich.)* Voyons.

W i l h e l m *(lacht)*. Man wird Sie im Leben übervorteilen.

P h i l i p p E r n s t. Ich lebe von anderen Tricks.

W i l h e l m. Darf ich mich beurlauben?

P h i l i p p E r n s t. Sehen Sie einmal in die Papiere, die ich Ihnen schicken werde?

W i l h e l m. Gern. *(Verbeugt sich, exit.)*

SECHSTER AUFTRITT

P h i l i p p E r n s t *(schüttelt sich)*.

O t t i l i e *(tritt auf, oben auf der Galerie und stürzt, da sie den Bruder sieht, herunter)*. Philippchen!

P h i l i p p E r n s t. Didelchen! *(Umarmung.)* Bist du groß geworden!

O t t i l i e. Bist du schön geworden!

P h i l i p p E r n s t. Aber nicht doch!

O t t i l i e. Clean shaved steht dir himmlisch. Und schlanker.

P h i l i p p E r n s t. Fünfundsechzig Zentimeter Taille. Easton wird bei der Anprobe außer sich sein.

O t t i l i e. Und das Haar; tête carrée. Zeig die Zähne.

P h i l i p p E r n s t *(tut's)*.

O t t i l i e. Wundervoll!

P h i l i p p   E r n s t. Deine?

O t t i l i e *(zeigt sie).*

P h i l i p p   E r n s t. Splendid. Cherry tooth?

O t t i l i e. Pâte dentifrice. Was hast du mir mitgebracht?

P h i l i p p   E r n s t. Sel Morny fürs Bad. Frühling im Badewasser. Maiandacht. Man plätschert au dessus de tout. Dann Houbigant, mon délice und die Gazette du bon ton.

O t t i l i e *(dreht sich vor ihm).* Wie siehst du mich im ganzen?

P h i l i p p   E r n s t. Behaglich. Fünfundsechzig Kilo.

O t t i l i e. Pfui! Achtundfünfzig netto.

P h i l i p p   E r n s t. Du meinst ohne – also brutto. Ach Didelchen, es ist gemütlich zu leben. *(Er legt den Arm um sie.)*

O t t i l i e. Auf deine Art. Lebt man aber mit Vater. Ich fürchte, Philipp Ernst, es gibt ernste Dinge im Leben. Die Fabriken.

P h i l i p p   E r n s t. Für die ist Sofie ausgemacht.

O t t i l i e. Sie sind eine Macht, die uns gehört.

P h i l i p p   E r n s t. So lala. Ich habe eine andere.

O t t i l i e. Auf Frauen?

P h i l i p p   E r n s t. Sie genügt mir. Ich bedaure dich, weil du's in seiner charmanten Gesamtheit nicht empfinden kannst: das Weib.

O t t i l i e. Lili Oels kommt. Hast du's auf sie abgesehen?

P h i l i p p   E r n s t. Ich sehe es nie geradezu ab. Ich bin einfach da, voyons.

O t t i l i e. Du hast den Willen, den Griff.

P h i l i p p   E r n s t. Meine kleinen Tricks.

O t t i l i e. Wüßte ich sie auch! Armer Kerl, ich glaube, dein Aufenthalt wird weniger behaglich sein, als du hoffst.

P h i l i p p   E r n s t. Wie das?

O t t i l i e. Durch die gezwungene Muße ist Vater in unbeschreiblicher Erregung.

P h i l i p p   E r n s t. Attacken auf meine Gemütsruhe setze ich mich unter keinen Umständen aus.

O t t i l i e. Es scheinen ernste Zeiten bevorzustehen. Man
spricht vom Krieg.
P h i l i p p E r n s t. Ich bin militärfrei, gehe in einen
Badeort, mache eine Weltreise. *(Erregt.)* Unannehm-
lichkeiten irgendwelcher Art, woher sie auch kommen,
lehne ich aus Prinzip ab.

SIEBENTER AUFTRITT

C h r i s t i a n *(tritt auf)*. Sieben Koffer – daran erkenn
ich meinen Erstgeborenen. *(Umarmung.)* Du kommst
aus London? Was sagen Hadfield und Kompanie?
Hast du das elektrische Hebewerk bei Fowler gesehen?
Die Kerls bauen bis zu fünfzigtausend PS.
P h i l i p p E r n s t. Fabelhaft!
C h r i s t i a n. Wo ist dein Bart?
P h i l i p p E r n s t. Shaved.
C h r i s t i a n. Was sagt man von uns? Munkelt man
von unserem Ballongeschütz? Nicht zu schlagen. Eng-
lische Rente?
P h i l i p p E r n s t. Grüße bringe ich von Alshot, Taxis
und so weiter.
C h r i s t i a n *(ihn ansehend)*. Ist das der letzte Schrei?
Aufgepaßt jetzt! Mit deiner Schwester sprach ich: um
meine Gesundheit steht's jämmerlich.
P h i l i p p E r n s t. Du siehst solide aus.
O t t i l i e. Der Geheimrat war heute zufrieden.
C h r i s t i a n. Auf den Hund. Morgen könnt ihr vor
dem Faktum stehen: Erbteilung. Ihr seid nicht Nach-
kommen von Hinz und Kunz. Eure Erbmasse besteht
aus vierzehn Werken, die einen Hauptteil unserer In-
dustrie ausmachen. Platz für alle drei und Kind und
Kegel. Gesät habe ich. Die himmlischsten Ernten könnt
ihr sammeln.
Aber ihr habt, du Philipp Ernst besonders, bis heute
geschlampt, überzeugt, ich sorge bestens für euch. Das
ist geschehen. Durch Verträge nach Möglichkeiten über
meinen Tod hinaus.
P h i l i p p E r n s t. Gottlob!

C h r i s t i a n. Vor dem Willen einer zielbewußten Kreatur aber sind die ausgeklügeltsten Verträge null.

P h i l i p p   E r n s t. Das Gesetz, cher père.

W i l h e l m *(tritt auf)*.

C h r i s t i a n. Der Betrug geht auf legale Weise vor sich, kein Gesetz tritt in Kraft. Ohne Voraussetzung in euch ist das nicht klarzumachen. Kurz, nach einiger Zeit hat sich die Ziffer nicht, aber der Wert eures Vermögens geändert, da ihr nicht imstande seid, das euch Zugeschobene auf seine reelle Substanz hin zu prüfen.

P h i l i p p   E r n s t. Welcher durchschnittliche Erbe wäre das aber?

C h r i s t i a n. Darum ist es für andere so leicht, von seinem Geld zu leben. Nicht die paar Millionen, die man selbst hat, die ungeheuren Summen, die vom Publikum wenigen Männern anvertraut werden, und über die diese nach Gutdünken verfügen, geben ihnen die unvergleichliche Macht.

W i l h e l m. Ich mache mich bemerklich, Exzellenz!

C h r i s t i a n. Eure Schwester, ohne jedes Sentiment, hat euch in kürzester Zeit bis aufs Hemd ausgeplündert.

P h i l i p p   E r n s t. Doktor Krey, cher père!

C h r i s t i a n *(außer sich)*. Weil ihr sündhaft nachlässig mit eurem Besitz seid, um eure Fußnägel euch mehr kümmert als um euer Vermögen. Es ist kein Einwurf, neun Zehntel der Besitzenden tut ebenso wie ihr. Sie kommen mit der Zeit alle an den Bettelstab, zu Fug und Recht. Und von der anderen Seite ist's keine Sünde, aus ihrer Überlegenheit folgerichtig, macht sie mit Imbéciles kurzen Prozeß.

P h i l i p p   E r n s t. Herr Doktor Krey, Papa!

C h r i s t i a n *(zu Wilhelm)*. Kommen Sie her! Stecken Sie diesen Narren endlich ein Licht auf. Das Mädchen ist willig. An einer Lebenswende ist sie mit einem Ruck zum Entschluß zu bringen. *(Zu Philipp.)* Bei dir ließ ich's lange gehen. Jetzt aber w i l l ich Vernunft! Ich will! Ruhe!
Jubiliert, daß in einem Anfall von Größenwahn das Hühnchen sich einfallen läßt, mit mir ein Tänzchen zu wagen. Dazu trete ich an, und werde ihr zeigen, man

kann mit Unmündigen wohl, muß es sein mit Eben-
bürtigen, aber nicht aus Übermut mit dem Überlege-
nen sich einlassen. Breche ich ihr aber auch noch vor
meinem Abmarsch den Hals, ist es nur dann Gewinn
für euch, seht ihr bis dahin klar. Also voran! *(Zu Wilhelm.)* Ich bin auf dem Weg. Noch ist des Planes Um-
riß dunkel; doch schwant mir etwas von schauerlicher
Großartigkeit. *(Exit.)*

ACHTER AUFTRITT

Schweigen.

W i l h e l m. Herr Baron?
P h i l i p p E r n s t. Liebster Doktor, Sie sehen mich
    vollständig zersplittert.
O t t i l i e. Was zu wissen notwendig, werden wir aus
    uns selbst uns aneignen. Und was zu wollen und zu
    tun ist!
P h i l i p p E r n s t. Später würde ich Ihnen dankbar sein.
O t t i l i e. Wir haben den Entschluß. Komm.
        (Sie verschwinden die Treppe hinauf.)

NEUNTER AUFTRITT

W i l h e l m. Solcher Zynismus ist der Gipfel. Auf lega-
    lem Weg geht der Betrug vor sich. Die Nation gesetz-
    mäßig geplündert von den wenigen Verwaltern ihres
    Vermögens? So war mein praktischer Anfang richtig:
    die Armen durch die Schrift aufzuklären, welche Ge-
    fahr sie im Geldbeutel laufen, und ist das Volk in der
    Angst um seinen Besitz aufgeschreckt, kann ich's tiefer
    anrufen: es stehen im Land alle Güter des Gewissens
    und der Liebe in Gefahr!
    Nie noch war ich so unbedingt frei vom Einfluß Eurer
    bezaubernden verabscheuungswürdigen Eigenschaften.
O t t i l i e *(die schließlich, vornübergebeugt, von der
    Galerie seinen Worten gefolgt ist, ersteigt das Ge-
    länder).*

W i l h e l m. Was wollen Sie?

O t t i l i e. Ich springe hinunter!

W i l h e l m. Um Gottes willen!

O t t i l i e. Ich springe!

W i l h e l m. Halten Sie ein! *(Er stürzt die Stufen hinan und umfaßt sie.)*

O t t i l i e *(sieghaften Blickes)*. Fassen Sie mich nicht so fest!

(Vorhang.)

ZWEITER AUFZUG

ERSTER AUFTRITT

Der gleiche Raum.
Wilhelm und Friedrich Stadler treten auf.

F r i e d r i c h. Die Hand zuerst, Wilhelm! Ich drücke sie dir mit dem Druck von uns allen. Deine letzten Briefe bliesen Glut zu Flammen; es stand durch die Größe deiner Gedanken plötzlich vor uns ein Vaterland, von dem wir nur noch eine dunkle Ahnung wußten. Das Feuer deines Wollens schuf sich eine nationale Zukunft, die uns nicht nur menschlich, nein männlich entzückte.

W i l h e l m. Friedrich!

F r i e d r i c h. Unsere Schwüre, Tränen junger Menschen hättest du sehen müssen; einige sprangen auf die Tische, Lieder zaubertest du hervor, und es ward klar, seit Menschengedenken hat sich in Deutschland kein politischer Geist so frei und befreiend geregt.

W i l h e l m *(an seinem Hals)*. Friedrich!

F r i e d r i c h. Wie dein Kopf dem Mirabeaus gleicht! Zur Sache! Meinen Auftrag vor allem: unser grenzenloses Vertrauen wird dich morgen zum Präsidenten des Verbandes machen. Hals über Kopf bin ich mit der Nachricht hierher gereist.

W i l h e l m. Wie ist das möglich? Ich habe kein Verdienst.
F r i e d r i c h. Das größte. Du fandest die Formel, mit
  unserer abgegriffenen Tagessprache von neuem Sphä-
  ren in Räume zu rollen, rissest die Jugend von ihren
  Sitzen, daß sie zum Marschieren bereit neben dir steht.
W i l h e l m. Welch ungeheure Verantwortung!
F r i e d r i c h. Wer könnte sie tragen als du; wer den
  Ruhm, der ihr folgt?
W i l h e l m. Ein Mitstreiter dachte ich zu sein . . .
F r i e d r i c h. Da auf deinen Ruf alles zusammenläuft,
  das Entgegengesetzte einig ist, bist du Führer. Bist es
  durch deine deutsche Idee, die zum erstenmal alles zu-
  sammenreißt, was in diesen Zeitläuften deutschen Boden bewohnt und sich bekennt zum Kampf gegen internationale Geldwirtschaft. – Das Geschwür der Zeit
  stachest du auf, aus schwülen Dämpfen der Renten-
  hysterie führst du uns geläutert zurück an das klare
  Wasser unserer Wälder.
  Wir haben indessen praktisch gearbeitet. Überallhin ist
  das Zwingendste aus deinen Schriften schon an Uni-
  versitäten und Hochschulen verbreitet.
W i l h e l m. Wirklich?
F r i e d r i c h. Dein Name bedeutet der jungen Generation die größte Hoffnung; sie läßt aus diesem Bewußtsein in den zur Verbreitung deiner Absichten ge-
  stifteten Fonds die Beiträge reichlich fließen.
W i l h e l m. Immer neue Überraschungen!
F r i e d r i c h. Ich selbst bringe dir hier die Erbschaft
  von meinen Eltern.
W i l h e l m. Aber Friedrich! Das ist unmöglich . . .
F r i e d r i c h. Der Verzicht auf sie wird mich enger an
  das Ziel binden.
W i l h e l m *(umarmt ihn)*.
F r i e d r i c h. Du siehst, was du wirkst.

> Brüder, gält es Gut und Blut
> dem Verdienste seine Kronen,
> Untergang der Lügenbrut.

Jung sein, mit seiner Bestimmung nicht experimentie-
ren müssen, sondern durch das Genie eines Lebendigen

ein lebendiges Ziel in der Welt sehen, dem man sich
aus seines Blutes Fülle hingeben darf, wieviel Gene-
rationen ist das gegönnt? Und dir danken wir's! Und
nun, komm mit mir. Diese Aufforderung ist im Hin-
blick auf dein neues Amt im Namen aller meines Hier-
seins letzter Zweck.

W i l h e l m. Ich komme.

F r i e d r i c h. Wir fahren heute.

W i l h e l m. Heut! Das heißt – so gern ich meine Be-
ziehungen zu diesem Hause breche, ich kann nicht
davonlaufen. Ich bin frei, man wird mir nichts in den
Weg legen. Nur sind mir außerordentliche Dinge anvertraut, die für den Augenblick ich allein übersehe.
Sie in die Hand des Chefs zurückzulegen ...

F r i e d r i c h. Wieviel Tage?

W i l h e l m. Eine Woche!

F r i e d r i c h. Zuviel für unsere Ungeduld. Ich leide
dich hier nicht. Meine Liebe zu dir, die Einsicht der in
dir verkörperten einmaligen außerordentlichen Natur-
kraft, Gefahren, die der Geist dieses Hauses fortwäh-
rend droht ...

W i l h e l m *(lacht)*. Furcht, da ich keinem hier einen
Finger gebe?

F r i e d r i c h. Unbehagen. Versuch heute noch zum Ab-
schluß zu kommen – setz deine Abreise unbedingt für
morgen fest.

W i l h e l m. Ich versuche es.

F r i e d r i c h. In diesem Fall bleibe ich, und wir gehen
miteinander. Du kannst mich für diese Nacht bei dir
unterbringen? Doch so, daß ich vor dem Anblick jeder-
manns behütet bin? Die bloße Vorstellung der Bewoh-
ner dieses Hauses ist mir unerträglich.

W i l h e l m. Das geht sehr gut. Komm.

B e i d e *(exeunt)*.

ZWEITER AUFTRITT

O t t i l i e *(tritt auf, geht zum Schreibtisch, nimmt aus
dem Papierkorb ein Papier und liest)*. „Von nichts tönt

das Tagesgespräch als vom Eigentum. Es schreit der Reiche um Schutz für das Erworbene, der Arme will Privilegien, die ihm ein bequemes Leben sichern. Auf materiellen Besitz einseitig festgelegt, scheint die Nation höhern Aufschwungs unfähig." *(Sie wirft den Bogen in den Korb zurück und nimmt andere Papierstückchen herauf und liest.)* „Raffinierte Vergnügen. Korruption. Sittliche Ökonomie. Leidenschaftliches Nationalgefühl. Gemeinsamkeit gegen eine Welt in Waffen."

DRITTER AUFTRITT

W i l h e l m *(tritt auf).*
O t t i l i e *(will hinaus, beide treffen sich in der Mitte des Raums).* Warum weichen Sie aus!
W i l h e l m *(sieht ihr ins Auge).*
O t t i l i e. Sie sind feige.
W i l h e l m. Sind Sie nicht unvorsichtig?
O t t i l i e. Ich habe Vorsicht nicht nötig.
W i l h e l m. Ich aber.
O t t i l i e. Angst um Ihre Stellung?
W i l h e l m. Für mein Leben.
O t t i l i e. Geh ich Sie an?
W i l h e l m. Nein.
O t t i l i e *(zeigt).* Da oben?
W i l h e l m. Mitleid.
O t t i l i e. Sonst nichts?
W i l h e l m. Kaum.
O t t i l i e. Es ist nicht wahr. Sie treiben mich . . .
W i l h e l m. Zu Sensationen.
O t t i l i e *(exit).*

VIERTER AUFTRITT

W i l h e l m. Du unterschätzt den Geist, der neben dir geht, gutes Mädchen. Mißbrauchen für eine Laune willst du mich, und von der anderen Seite bieten mir die prachtvoll begeisterten Jungen Gewalt über ihr Leben und ihre Stoßkraft an. Es erhebt sich einer, da du ihn noch in abhängiger Stellung unter dir siehst, schon über den First deines Lebens; durch seine unbestochen freie Meinung macht er heldenhaft großen Eindruck auf die Zeit, die ihn dafür unsterblich nennt. Unsterblich – Ottilie! Du aber und dein Geld bleibst im Namenlosen. Es kommt der Tag, da mit der zwischen uns aufgehellten *wirklichen* Distanz ich die Frechheit deines bloßen Versuchs heimzahlen werde.

FÜNFTER AUFTRITT

C h r i s t i a n *(tritt auf).* Tagsüber, abends sind Sie nicht mehr zu sehen. Jeden freien Augenblick verschwinden Sie in Ihr Zimmer. Was gibt's Wichtiges? Machen Sie Verse?

W i l h e l m. Ich schreibe Gedanken über den internationalen Kapitalismus nieder.

C h r i s t i a n. Vernichtende Kritik, vermute. Hätten Sie wirklichen Begriff, könnten Sie dem Land ein neuer Beaumarchais werden.

W i l h e l m. Zwei Jahre an Exzellenz' Seite . . .

C h r i s t i a n. Wäre ich öfters wie neulich mitteilsam . . .

W i l h e l m. Vielleicht genügen die wenigen Aufschlüsse zu Grunderkenntnissen; mit Spekulationen hilft man sich weiter.

C h r i s t i a n. Vielleicht. Glauben Sie, ich habe Angst?

W i l h e l m. Warum Angst, Exzellenz?

C h r i s t i a n. Jüngelchen! Mit einer besessenen Feder freilich – Gleichviel. Tun Sie Ihr möglichstes, werfen Sie die Lunte ins Pulverfaß. Ich bin, sind neue Zustände geschaffen, bereit, wieder von der Pike an zu dienen. Ob General, ob Unteroffizier – nur mitten im Gewühl stehen.

W i l h e l m. Würden Exzellenz die Größe so weit treiben, mir im einzelnen, wo ich das Problem nicht erschöpfe noch Winke zu geben?

C h r i s t i a n *(kneift ihn ins Ohr).* Das hängt von dir selbst ab, Freund. Zeigen Sie mir die Kladde. Ist sie ungenügend, wie ich vermute, niemals. Bloße Ruhe-

störer verdienen, man lyncht sie. Erkenne ich, hier tritt
Genie auf – was sollte ich besseres tun, mich von Anfang an ihm zu verbinden?

W i l h e l m. Diese Gewißheit allein vermochte mich
letzthin, mein Bleiben im Haus zu verlängern.

C h r i s t i a n. Sticht von neuem der Hafer? Karriere?

W i l h e l m. Ich möchte Exzellenz infolge eingetretener
wichtiger Ereignisse um meine sofortige Entlassung
bitten.

C h r i s t i a n. Unserer Verabredung gemäß sind Sie je-
derzeit frei. Obwohl Sie mir wegen der bewußten Angelegenheit gerade im Augenblick sehr fehlen werden.
Sehr. In drei, vier Tagen wäre alles vorbei. Ich könnte
Sie an meinem glorreichen Tage in ein hoffentlich glor-
reiches Leben entlassen. Lockt Sie das nicht, sind Sie
nicht abergläubisch? Dann tun Sie's mir zuliebe.

W i l h e l m. Ich möchte nicht undankbar sein.

C h r i s t i a n. Und erleben eine Situation, die Ihnen
fürs Leben unvergeßlich bleibt. Nur mehr drei Tage.
Abgemacht?

W i l h e l m. Ich darf Exzellenz heute abend meinen
Entschluß, der nicht von mir allein abhängt, unter-
breiten.

C h r i s t i a n. Wie stehen Ihre Relationen zu meinem
Sohn?

W i l h e l m. Baron Philipp Ernst nahe zu kommen, ist
schwer.

C h r i s t i a n. Da möchte ich doch auch noch Resultate
von Ihnen. Also ich rechne für die kurze Zeit noch auf
Sie.
Es war gestern abend bei der Ankunft zu spät, das
rothaarige Karnickel zu fassen. Vor elf Uhr ist heute
morgen an ein Erscheinen der Herrschaften nicht zu
denken. Ich will das verordnete Bad nehmen, wenn
nicht vorher noch . . .

W i l h e l m. Geheimrat Brunner machten es Exzellenz
zur Pflicht.

C h r i s t i a n. Setzen Sie in den Brief an Witman noch
hinzu – Wie heißt der letzte Absatz?

W i l h e l m *(liest aus einem Brief).* „Insbesondere ist in

Unterhaltungen mit allen Angestellten bis zu den Di-
rektoren Nachdruck auf den Namen Seiner Exzellenz
zu legen. Es sind diejenigen hierherzumelden, die bei
Erwähnung desselben es in Miene oder Gesten an der
Überzeugung fehlen lassen, in Exzellenz sei nach wie
vor jede Entscheidung verankert. Für seinen bevorstehenden siebenzigsten Geburtstag wäre Seiner Exzellenz die nachdrückliche Manifestation dieser Einsicht
angenehm."

C h r i s t i a n. Angenehm. Im übrigen warten Exzellenz
nur die wenigen Tage zu seiner vollständigen Gene-
sung ab, um wie ein . . .

W i l h e l m. Sollten Exzellenz nicht gerade in der nächsten Zeit unbedingt Mäßigung üben?

C h r i s t i a n. Ich muß in der nächsten Zeit mein Auster-
litz schlagen oder krepieren. Schreiben Sie – um wie
ein Orkan in das Sodom zu fahren, in das er während
seiner Krankheit Einblick genommen hat. Eine Kopie
sofort der Gräfin zum Frühstück hinauf. So ist die
Ouvertüre unserer Auseinandersetzungen vorher ge-
spielt.

D i e n e r *(tritt auf und macht Christian Meldung).*

C h r i s t i a n. Schon da? Ich komme.

D i e n e r *(exit).*

W i l h e l m. Exzellenz verfärben sich. Was gibt's?

C h r i s t i a n. Haben Sie in den vergangenen Tagen um
die gleiche Stunde nichts gemerkt? Ich sagte doch: Nur
noch dreimal vierundzwanzig Stunden. Und hätte sie
den Teufel zum Bundesgenossen, bei mir wetterleuch-
tet der liebe Gott jetzt hinter der Szene. *(Exit.)*

W i l h e l m. Was soll das sein?

J u n g f e r *(tritt auf, gibt Wilhelm einen Brief. Exit).*

W i l h e l m. Wer ist das? *(Öffnet den Brief.)* Von ihr!
Aber das ist eine Erklärung! Welche Kühnheit von
dem Mädchen! Ich stieß sie unzweideutig zurück, und
sie kommt furchtlos und demütigt sich. Das ist menschlich außerordentlich. Eine List? Aber mich zu locken
gibt's andere Mittel, braucht sie nicht durch einen Brief
sich bloßzustellen. Denn wie es nun auch kommt: diese
Zeilen sind von jetzt ab für alle Fälle in meinem Be-

sitz. *(Er liest.)* „Seit langem fühle ich, was ich Ihnen
danke, Ihrem bloßen erhebenden Dasein; doch erst
heute stehe ich frei von fremden Einflüssen mit dem
unwiderstehlichen Wunsch, von Ihnen über mich selbst
und das Leben unterrichtet zu sein.“
Ist es möglich? Nicht Laune? Nicht List? *(Er denkt
nach.)* Nein. Ein richtiger, leidenschaftlicher Entschluß.
Wo finde ich sie?

SECHSTER AUFTRITT

*Gräfin Sofie und Graf Otto von Beeskow treten auf in
Reitdreß.*

S o f i e. Wissen Sie, Herr Doktor, wer bei meinem Va-
ter ist?
W i l h e l m. Nein, Frau Gräfin.
S o f i e. Sie auch nicht? Es geht ihm schlecht. Geheimrat
Brunner beklagt vor allem, daß er sich trotzdem keine
Ruhe gönnt. Wäre es nicht Ihre Pflicht, Ihren Einfluß
in dieser Richtung aufzubieten?
W i l h e l m. Frau Gräfin kennen Exzellenz' Tempera-
ment.
O t t o. Sehr richtig.
W i l h e l m. In Exzellenz' Auftrag habe ich Frau Grä-
fin die Abschrift eines Briefes an Herrn Witman zu-
zustellen.
S o f i e. Geschäftliche Mitteilungen gehen an den Gra-
fen.
W i l h e l m. Wohin darf ich das Schreiben gelangen
lassen?
O t t o. Geben Sie ihn mir zum Frühstück. Nichts Ge-
schäftliches am Vormittag.
W i l h e l m. Gern. Ich darf mich beurlauben. *(Exit.)*

SIEBENTER AUFTRITT

S o f i e. Wie ist das Haus verändert.
O t t o. Der Alte dicht vor dem Ende.
S o f i e. Wer mag bei ihm sein?

O t t o. Reitest du oder nicht?

S o f i e. Wo steckt Ottilie?

O t t o. Also auf Wiedersehen!

S o f i e. Zwei Minuten, Otto. Wie er durch den Garten
schlurfte – wer hätte den Zusammenbruch in so kurzer
Zeit für möglich gehalten.

O t t o. Siebenzig sind ein schönes Alter. Er hat deine
Überlegenheit schon zu lange ponderiert.

S o f i e. Wieder den Tatsachen vorgegriffen.

O t t o. Ein Blinder sieht, er ist hin.

S o f i e. Fühlt er wirklich sein Ende, ist er uns gegenüber auch zum Äußersten entschlossen, hat er die wirk-
samste Angriffsfläche gefunden: er weiß, unser Ansehen im Werk und in der Welt ist mit der Durch-
setzung des holländischen Auftrags verknüpft, weiß,
wir haben uns bis ins letzte mit ihm identifiziert. Er
wird ihn also unter allen Umständen kontrekarieren.

O t t o. Zu spät. Du hörst, wie durchschlagend dein Trick
im Haag gewirkt hat.

S o f i e. Er kann aus seiner Art uns den Triumph nicht
gönnen, ist zum Hals mit Wut gegen mich gestopft.
Diese von sich besessene Natur verträgt nichts Bedeu-
tendes neben sich und wird uns, coûte qui coûte, nie-
derwerfen. Nahendes Ende verzehnfacht seine Kräfte.

O t t o. Du siehst Gespenster. Ein Tapergreis ...

S o f i e. Wann wirst du endlich von diesem Blut Begriff
haben? Mit Zähnen und Krallen sind wir bis zum
letzten Atemzug in eine Sache verhängt, und unlöslich
stehen oder fallen wir mit ihr.

O t t o. Verrückte Bande. Im Grund eben Heraufkömm-
linge.

S o f i e. Mit frischem Saft lebendig eben im Grund.

O t t o. Macht eure Auseinandersetzungen zwischen euch
ab und menagiert euch.

S o f i e. Es gibt keine Schonung diesmal, denn hinterher
fallen die Tore zu. Hast du Angst, reise ab. Ich muß
die Hände bis zum Ellbogen frei haben.

O t t o. Ich will, du hältst dich zurück, verstanden?

S o f i e. Es geht für dich, Otto, für dein Ansehen, deine
Größe nach seinem Tod. Dein schlagender Erfolg und

sein platter Abgang müssen vor der Welt zusammen-
fallen. Läßt er über deiner Katastrophe eine Gloriole
von sich in der Welt zurück, wandelst du für den Rest
der Tage ein Schemen in seinem Licht. Das will ich nicht.

O t t o. Wirklich hatten wir die Sache fein eingefädelt.

S o f i e. Und sollen ihm, dicht vor dem Sieg, das Feld
lassen?

O t t o. Also auf ihn. Aber mit Haltung!

S o f i e. Auch vor den beiden Kindern muß ein Exem-
pel statuiert werden. Durch Verträge, das sind wir
sicher, hat er ihnen für später den Rücken gesteift. Sie
müssen darum vorher einmal sehen, was wir für eine
Handschrift schreiben. Um Philipp Ernst mache ich
mir keine Sorge.

O t t o. Die mitgebrachte Uhrkette paralysiert ihn. Ein
schlichter Bindfaden vom Knopfloch bis zur Uhr, das
wirft ihn für lange Zeit in Entzücken.

S o f i e. Der Mensch, der hier schleicht, hat mit Ottilie
Pläne.

O t t o. Donnerwetter, wie kommst du darauf?

S o f i e. Das Gegenteil wäre Mirakel. In solchen gebil-
deten Habenichtsen schläft stets der Wille, in unsere
Assiette zu springen.

O t t o. Und sie ist eine Platzpatrone.

S o f i e. Durch irgendein Phantasma blendet der Bur-
sche die Unmündige.

O t t o. Der also wird durch einen Seitenhieb miter-
ledigt.

S o f i e. Nimm du die Kinder auf dich und laß mir hier
das Feld.

O t t o. Was mache ich mit Ottilie?

S o f i e. Oels.

O t t o. Einen Flirt starten?

S o f i e. Zum Anfang. Er ist blöd. Gib einige Renseigne-
ments.

O t t o. Er soll im Bild sein.

S o f i e. Wer ist – bei ihm?

O t t o. Du machst mir Angst.

S o f i e. Denn da liegt der Schlüssel. Steck das Reiten
auf, leg dich auf die Lauer.

O t t o. Kommt dieser vermaledeite siebenzigste Geburtstag hinzu, den er zu einer Feier für sich ausnutzen wird.

S o f i e. Zu einer überwältigenden Demonstration, duldet man's. Du wirst Witman sofort einen Brief hinfeuern, der Alte verbäte sich in Anbetracht seines Gesundheitszustandes jede Erwähnung. Auch die Presse soll instruiert werden.

O t t o. Du glühst. Laß dich nicht hinreißen.

S o f i e. Bis zum letzten, ihm gewachsen zu sein.

O t t o. Er hat Messer geschliffen.

S o f i e. Ich flankiere ihm, ich sei schwanger.

O t t o. Das entêtiert ihm.

S o f i e *(an seinem Halse)*. Ich bin's auch. Wenigstens mit einer abgöttischen Liebe zu dir.

O t t o *(küßt sie)*. Kleines Frauchen.

S o f i e *(hingegeben)*. Mein Jesus!

ACHTER AUFTRITT

C h r i s t i a n *(tritt auf)*. Grüß Gott, meine Lieben! *(Umarmung.)* Charmant, daß ihr gekommen seid. Geht es gut? Sofie sieht blendend aus. Nichts mitzuteilen? Wann ich Großvater werde? *(Er lacht.)* Kommt schon noch. Unser Riese – *(er klopft Otto auf die Schulter)* – wird sorgen. Die Kinder gesehen?

S o f i e. Wie geht's dir, Vater?

C h r i s t i a n. Glänzend, vier Pfund wiege ich mehr als vor einem Monat, fange erst zu leben an.

S o f i e. Das ist ja wundervoll.

C h r i s t i a n. Nicht wahr, das ist wundervoll? Warum seid ihr nicht zu Pferd fort?

S o f i e. Wir suchen die Gören.

O t t o. Hat Sie Prinz Oels schon begrüßt?

C h r i s t i a n. Er läuft mit Ottilie im Garten. Warum kam die Prinzessin nicht?

O t t o. Folgt übermorgen.

C h r i s t i a n. Will euch meinen neuen Schimmel zeigen. Von Hannibal aus der Mistral.

O t t o. Hannibal hat Mistral nicht gedeckt.

C h r i s t i a n. Was sage ich – Minehaha!

O t t o. Das ist etwas anderes.

C h r i s t i a n. Ein Haupthahn, unser Otto. Immer kor-
rekt.

(*Exeunt.*)

NEUNTER AUFTRITT

Philipp Ernst und Prinz Oels, Diener, treten auf.

P h i l i p p   E r n s t. Wir können nicht hinauf zu mir.
Ein Badehahn funktionierte nicht, jetzt steht die Woh-
nung unter Wasser. (*Zum Diener.*) Der Herr möchte
sich hierher bemühen.

D i e n e r (*exit*).

O e l s. Du läßt den Schneider aus London kommen?

P h i l i p p   E r n s t. Um Gottes willen, Prinzerl, sag
nicht Schneider. Easton wird verrückt, hört er's. Er ist
Gentleman. Arbeitet in Deutschland nur für zwei Ho-
heiten, Taxis und mich.

O e l s. Ich will ein morning-coat anziehen. Der Sakko
ist affreux.

P h i l i p p   E r n s t. Easton hat Takt, wird das Ding
gar nicht bemerken.

O e l s. Es ist in Berlin nicht besser zu haben.

P h i l i p p   E r n s t. In Berlin Anzüge machen zu lassen – man kann sich auch einen Ring durch die Nase
ziehen.

O e l s. Militär...

P h i l i p p   E r n s t. Gebrauch das Wort vor Easton
nicht. Für ihn existierst du als Gentleman oder nicht.

O e l s. Ich hab Herzklopfen.

P h i l i p p   E r n s t. Sehr berechtigt.

O e l s. Wie spricht man mit ihm?

P h i l i p p   E r n s t. Als höflicher Mensch vermeide, dir
den Anstrich irgendwelcher geistigen Bedeutung zu geben. Übrigens beherrscht er die mondäne Algebra.

ZEHNTER AUFTRITT

D i e n e r *(läßt Mister Easton auftreten und setzt zwei elegante Lederkoffer neben ihn. Exit).*
P h i l i p p E r n s t. Morning, Mister Easton.
E a s t o n. Morning, Sir. How do you do?
P h i l i p p E r n s t *(stellt vor).* Prinz Oels.
E a s t o n. Morning, Sir.
P h i l i p p E r n s t. But we speak German. Easton plaudert bezaubernd deutsch. Breiten Sie Ihre Überraschungen vor uns aus.
E a s t o n. Darf ich caleçons zeigen? Unterhosen, siamesisches Dessin, latest fashion?
P h i l i p p E r n s t. Später. Haben Sie vor allem die neue Redingote?
E a s t o n. Certainly, Sir, und das Gilet.
P h i l i p p E r n s t *(zu Oels).* Gris perle. Jede andere Couleur ist Verbrechen.
E a s t o n *(hilft Philipp Ernst in Weste und Rock).*
O e l s. Bezaubernd. Ganz große Klasse.
P h i l i p p E r n s t *(zu Easton).* Einen Hauch oben näher an den Kragen.
E a s t o n *(zeichnet).* Certainly. *(Zeichnet.)*
P h i l i p p E r n s t. Die Taille einen Ruck strenger betont.
E a s t o n *(zeichnet).* Certainly.
P h i l i p p E r n s t. Ich kreiere die Redingote neu. Man hat uns, meine Herren, letzthin ein Surrogat aufdrängen wollen ...
O e l s. Den sogenannten Cutaway.
P h i l i p p E r n s t. Daß Gott erbarm!

ELFTER AUFTRITT

O t t o *(tritt auf).* Guten Morgen, Philipp Ernst. Morning, Mister Easton.
E a s t o n. Morning Sir.
O t t o. Fabelhafter Gehrock!
D i e n e r *(tritt auf).*

P h i l i p p   E r n s t. Whisky, Soda!
D i e n e r *(exit)*.
P h i l i p p   E r n s t. Die Redingote ist im demokrati-
schen Zeitalter der Joppe, die auch als Sakko oder
Smoking auftritt, der Rock, der den Mann von Welt
distinguiert. Denn er muß getragen werden. Unter seinen Falten wirkt nur der svelt trainierte Gentleman.
O t t o. Bravo!
P h i l i p p   E r n s t *(zu Easton)*. Die Schultern mehr
hängend.
E a s t o n *(zeichnet)*.
P h i l i p p   E r n s t. Ist er durch die Weste gris perle,
den gleichfarbigen Krawattenknoten, den Hut haute
forme komplettiert, so soll man ihn des Manns könig-
liches Kleidungsstück nennen. Das Weib beeinflußt er
phantasiebeflügelnd.
O e l s. Beweise.
P h i l i p p   E r n s t. Im Nahkampf sechs Stunden Re-
dingote gleich zwei Tagen Sakko.
O e l s. Beweis!
P h i l i p p   E r n s t. Wette?
O e l s. Wen, wo?
P h i l i p p   E r n s t. Ein Königreich für ein Weib!
O e l s. Meine Schwester übermorgen.
O t t o *(summt)*. Auf in den Kampf Torero.
P h i l i p p   E r n s t. Ich werde den Beweis bündig füh-
ren.
D i e n e r *(bringt Whisky und Soda. Exit)*.
E a s t o n. All right, Sir.
P h i l i p p   E r n s t *(zieht Rock und Weste aus)*.
O e l s. Darf ich einmal versuchen? *(Zieht Weste und
Rock aus, an.)*

ZWÖLFTER AUFTRITT

O t t i l i e *(tritt oben auf der Galerie auf und bleibt
hinter einem Pfeiler unsichtbar stehen)*.
O t t o. Das hat cachet.
P h i l i p p   E r n s t. Mensch, Prinzerl. Brummel süß!
(Küßt ihn auf die Stirn.) Irrésistible.

E a s t o n. Beautiful.

P h i l i p p E r n s t. Hättest du, statt in der Tiroler-
joppe, dich in diesem royal coat Ottilien präsentiert,
dein heimlichster Wunsch wäre erfüllt.

O e l s. Glaubst du wirklich?

P h i l i p p E r n s t. Sieh dich im Spiegel! Dem Mädchen müßte in süßen Wallungen schwindeln. Prinzerl,
was hast du eigentlich für einen himmlischen Thorax!

O t t o. Sie wirken bezaubernd.

P h i l i p p E r n s t. Mit deiner Hautfarbe je pourrais
m'imaginer le gilet en écossais gris mauve. Göttlich!

E a s t o n. Indeed.

O e l s. Ich gäbe – den Rock mußt du mir abtreten!

P h i l i p p E r n s t. Das nicht, Prinzerl, voyons.

O e l s. Es ist für mein Leben wichtig, ich bekomme sie.
Gentlemen, unterstützen Sie meinen Antrag.

P h i l i p p E r n s t. Sollen wir helfen?

O t t o. Alle für einen.

P h i l i p p E r n s t. Well. Heraus denn, Easton, mit
den profundesten Schätzen. Es gilt gegen ein Weib!
Was haben Sie? *(Er wühlt in den Koffern und streut
auf den Boden aus.)* Krawatten, Hemden, Bretelles,
Taschentücher, Strümpfe. Diese Prinzerl, jaune indien
und Pumps dazu. Beim Beinüberschlagen stets so, daß
eine Handbreit Strumpf zu sehen ist. Ein Dutzend,
Easton, und diese robe de chambre. Robe de chambre
sage ich und denke mit Schaudern, man hat bis vor
kurzem Pyjamas getragen wie ein Zigeunerhäuptling
oder Schlafwagenkontrolleur.

E a s t o n. Sehen Sie ein anderes Modell avec le col
Robespierre et des manches pagodes.

P h i l i p p E r n s t. Anprobieren!

O t t o. Zeigen!

P h i l i p p E r n s t. Hosen herunter!

*(Alle sind um Oels beschäftigt und ziehen ihm den Mor-
genanzug an.)*

DREIZEHNTER AUFTRITT

W i l h e l m *(ist auf der Galerie aufgetreten und bleibt, ohne Ottilie zu bemerken oder von ihr und den andern bemerkt zu werden).*
P h i l i p p E r n s t. Apoll von Trapezunt! Einen Schuß Houbigant noch und nun mach ein paar Schritt.
O e l s *(geht durch den Raum).*
E a s t o n. Splendid, Sir.
O t t o. Das Mädchen hat Chance!
P h i l i p p E r n s t. Wie ein Pudel legt sie sich nieder. Du bist eine Schönheit, Hartwig!
E a s t o n. Indeed.
P h i l i p p E r n s t. Willkommen, Schwager!
O t t o. Wird besorgt!
O e l s. Wenn nicht anders, mit Gewalt!
O t t o und P h i l i p p E r n s t. Bravo!
E a s t o n. Indeed.
O t t i l i e *(oben in der Mitte der Treppe).* Bravissimo! *(Sie stürmt die Treppe herunter unter die Herren.)*
P h i l i p p E r n s t. Überfall! Sauve qui peut!
O e l s *(ist hinter einen Stuhl geflüchtet).*
O t t i l i e. Nehmt mich, gentlemen, als aus dem eigenen Lager. Wie heißt die Parole?
O t t o. Oels!
O t t i l i e. Oels! Voilà! Tataratata!
P h i l i p p E r n s t. Prinzerl, heraus! Sie gehört in jeder Weise zu uns. *(Er zieht ihn hervor; zu Ottilie.)* Was sagt Kennerblick zu dieser Erscheinung?
O t t i l i e. First class absolutely.
P h i l i p p E r n s t. Solch harmonisch geteilter, durchtrainierter Männeraufbau. Ist Schöneres denkbar?
O t t i l i e. Haben Sie nichts für mich, Easton?
E a s t o n. Certainly, Miss.
P h i l i p p E r n s t. Wie gefällt solches? *(Nimmt ein Paar Unterhosen hoch.)* Siamesisches Dessin. *(Er nimmt ein Paar lange Strümpfe und hält sie Ottilien an.)* Ist das nichts fürs Didelchen?
E a s t o n *(zieht einen großen seidenblumengestickten Schal hervor).* Voilà!

*(Alle sammeln sich mit Ausrufen der Bewunderung um
das Tuch. Dann drapiert Philipp Ernst die Schwester
damit.)*
P h i l i p p E r n s t. Und jetzt: La Furlana! Avanti!
(Spielt mit dem Munde einen Tanz.) Akkompagne-
ment, Prinzerl!
O t t i l i e und O e l s *(tanzen äußerst graziös den Tanz,
die übrigen beteiligen sich mit Musik und Zurufen).*
O t t o *(am Fenster).* Der Alte!
O t t i l i e und P h i l i p p E r n s t. Huh, huh!
*(Alles stürzt Hals über Kopf davon. Ottilie hat Oels bei
der Hand genommen und ist mit ihm hinaus, Easton hat
alles in seine Koffer gestopft, wobei Philipp Ernst be-
hülflich ist. Dann werden die Koffer unter ein Sofa ge-
stoßen und beide exeunt. Als letzter geht Otto.)*
O t t o. Die beiden Kinder sind wirklich harmlos unge-
fährlich.

VIERZEHNTER AUFTRITT

Die Szene bleibt unten einige Augenblicke leer.

W i l h e l m *(oben).* Unverschämte! *(Er steigt schnell die
Treppe hinab, nimmt Ottiliens Brief aus der Tasche,
zerreißt ihn und wirft die Stücke in den Papierkorb.)*
Lüge und Betrug deiner Klasse, Verkommenheit nach
wie vor. Plappern in sieben fremden Sprachen, Gri-
massen zügelloser Unsittlichkeit; Sensation alles. Immer noch der kleine Sekretär im schwarzen Röckchen!
*(Er sieht ein Paar Unterhosen auf dem Boden, hebt sie
mit der Fußspitze ein wenig hoch, und schleudert sie
gleich darauf beiseite.)* Und ihr hochmütiger Blick auf
meine Stiefel und Kleider bleibt. In Seide läuft der
Apostel nicht wie die andern; aber es sollen durch ihn
im Land die Quellen wieder fließen, die das Leben aus
euren blöden Ekstasen lösen. Hütet euch! Dieser
Augenblick entschied. Ich deute dein mir sichtbar ge-
gebenes Zeichen richtig, mein Gott, und verlasse noch
heute dieses Haus.

FÜNFZEHNTER AUFTRITT

O t t i l i e *(tritt auf; sie trägt noch den weißen Schal).*
Ich muß Ihnen einige Worte der Erklärung sagen.
W i l h e l m. Was ich von oben mit eigenen Augen sah,
sagt tausendmal genug.
O t t i l i e. Der Spaß mit den Jungens.
W i l h e l m. Ich habe mit den Späßen, mit dieser gan-
zen Welt ein für allemal nichts zu tun.
O t t i l i e. Ich bitte Sie!
W i l h e l m. Lassen Sie mich vorbei!
O t t i l i e *(tritt zur Seite).*
W i l h e l m *(wütend).* Was wollen Sie von mir?
O t t i l i e. Haben Sie nicht die Pflicht, bittet Sie ein
Mensch, ihm Aufschluß zu geben?
W i l h e l m. Ihnen zu allerletzt.
O t t i l i e. Sie sind streng, wie ich's nicht verdiene. War
ich einige Male herausfordernd, war's aus Verlegen-
heit. Ich kann nicht einfach zu Ihnen sprechen. Weil
ich verehre, bin ich befangen.
W i l h e l m *(geht zur Tür).*
O t t i l i e. Ich weiß, Sie haben ein Ziel hoch über dem
aller anderen Männer.
W i l h e l m. Und ich: Sie sind das typisch glatte Bild
Ihrer Kreise, unterscheiden sich in nichts von ihnen.
O t t i l i e. Ich war's. Seit ich von Ihren Absichten
weiß . . .
W i l h e l m. Sie? *(Lacht.)* Von meinen . . .
O t t i l i e. Sie ein leidenschaftliches Nationalgefühl in
uns wachrufen sehe, seitdem ich die Reihe Ihrer Ge-
danken kenne – des neuerstandenen Zeitdeutschen und
seine Verehrung . . .
W i l h e l m. Aber wie kommen Sie . . .?
O t t i l i e. Die Idee, wir sollen ein Streichholz vorm
Abbrennen auf die Notwendigkeit seines Verbrauchs
prüfen, um zu sittlicher Ökonomie zu kommen.
W i l h e l m. Wie können Sie wissen?
O t t i l i e. Sollen wirkliche Werte anstelle des allgemei-
nen Produktionsschwindels setzen. Habe ich richtig
verstanden?

W i l h e l m. Wie ist das möglich?

O t t i l i e. Wer selbst Wunder wirkt, will Wunder überall. Sie sollen von eines Mädchens Begeisterung den
Beweis erhalten. Ich fühle mich dicht vor bindenden
Entschlüssen; glauben Sie bis zur entscheidenden Tat
nur wenige Tage noch an meine Treue.

*(Ehe er's verhindern kann, hat sie sich auf seine Hand
gebückt, sie geküßt und ist hinaus.)*

W i l h e l m. Welch Sieg, welch großer moralischer Sieg
mitten im Lager des Feindes! *(Er läuft die Treppe hinauf.)* Ich komme, Friedrich! Schnell soll jetzt die flam-
mende Anrede an die Freunde für morgen gedichtet
sein. Ein deutsches Dokument. *(Sieht sich in einem
Spiegel.)* Mirabeau? Warum nicht!

(Vorhang.)

DRITTER AUFZUG

ERSTER AUFTRITT

Der gleiche Raum.

*Man hört vor Beginn des Aufzugs bei geschlossener Gar-
dine von Ottilie gesungen, vom Piano begleitet, Eichen-
dorff-Schumanns Mondnacht.*

> Es war, als hätt' der Himmel
> die Erde still geküßt,
> daß sie im Blütenschimmer
> von ihm nur träumen müßt!
> Die Luft ging durch die Felder,
> die Ähren wogten sacht,
> es rauschen leis die Wälder,
> so sternklar war die Nacht.

*Es hebt sich die Gardine. Der Pfarrer sitzt akkompa-
gnierend am Klavier, Ottilie singt; Christian, Wilhelm,
Philipp Ernst, Oels, Otto und Sofie sind als Zuhörer im
Zimmer.*

O t t i l i e.   Und meine Seele spannte
                      weit ihre Flügel aus,
                      flog durch die stillen Lande,
                      als flöge sie nach Haus.

C h r i s t i a n. Himmlischer Schumann!

P f a r r e r. Großer Eichendorff!

C h r i s t i a n. Besonders: Und meine Seele spannte ...
(Summt weiter.)

O t t i l i e *(mit Blick auf Wilhelm summt)*. Als flöge sie
nach Haus.

P f a r r e r. Mendelssohn, Schubert, Schumann – ein ge-
nußreicher Abend. Aber es ist reichlich spät. Darf ich
mich empfehlen, Exzellenz?

C h r i s t i a n *(ihn nach hinten geleitend)*. Auf Wiedersehen und herzlichen Dank für alles.

P f a r r e r. Nicht zu danken, Exzellenz. *(Exit.)*

P h i l i p p E r n s t *(zu Oels)*. Kommt deine Schwester
bald? ... sich hier musikalisch langweilen zu lassen.
Schade um meinen neuen Frack.

O e l s. Ottilie war heute nicht gnädig. Glaubst du an
meine Chancen?

P h i l i p p E r n s t. Sie sind dir von zwei Gentlemen
garantiert. Schade um den Frack.

O e l s *(zeigt auf Wilhelm)*. Wer ist die schwarze Sache?

P h i l i p p E r n s t. Sekretär.

O e l s. A peu près domestique?

P h i l i p p E r n s t. Je ne suis pas sûr.

O t t i l i e. Du siehst elend aus, Vater.

C h r i s t i a n. Worüber warst du den ganzen Tag so
erregt?

O t t i l i e. Ich bin in deinem Sinn entschlossen.

C h r i s t i a n. Gegen sie?

O t t i l i e. Ich werde nicht unterliegen?

C h r i s t i a n. Bravo! *(Zu Wilhelm.)* Meine ersten Tele-
gramme haben im Haag hinreichend Gegenwirkung
getan. Aber heute abend erst, in diesen Minuten etwa
platzt dort die Bombe.

S o f i e *(zu Otto)*. Ich bin unruhig. Im Haag ist etwas
geschehen, sonst hätten wir Entscheidung.

O t t o. Die Mumie sieht aus, als stürze sie im nächsten
   Augenblick tot hin.
S o f i e. Ich bin furchtbar unruhig.
C h r i s t i a n *(zu Sofie).* Du hast deinen beau jour. Wir
   wollen nachher noch ein Stündchen plaudern.
S o f i e. Gern. *(Zu Otto.)* Es geht los. Laß mich später
   allein.
O t t o. Beherrschung! Verstanden!
S o f i e. Gott steh mir bei!
P h i l i p p E r n s t. Du hast mich verwirrt, es kann mit
   Vater nicht so schlimm stehen.
S o f i e. Man muß unbedingt auf alles gefaßt sein. Im
   Fall ...
P h i l i p p E r n s t. Eines Zwischenfalls ... *(Trocknet
   sich die Stirn.)* Nur keine Rechnereien.
S o f i e. Wie besprochen: du läßt uns deinen Anteil in
   Form einer Hypothek, deren Zinsen dir mit vier Pro-
   zent als feste Rente garantiert werden.
P h i l i p p E r n s t. Was kommt für mich heraus?
S o f i e. Mindestens das Fünffache von heute.
P h i l i p p E r n s t. Charmant. Und kein Brutto und
   Netto?
S o f i e. Alles pränumerando.
P h i l i p p E r n s t. Charmant.
O t t o *(tritt hinzu).* Das ist das Fabelhafte: Eine ein-
   fache Strippe wollte er als Uhrkette tragen.
P h i l i p p E r n s t. Wie, Strippe?
O e l s. Als Uhrkette?
S o f i e. Wer?
O t t o. Der verstorbene Siekermann.
P h i l i p p E r n s t. Ein smarter Junge.
C h r i s t i a n *(der mit Ottilie und Wilhelm im Hinter-
   grund sitzt, ruft herüber).* Was habt ihr mit Philipp
   Ernst?
O t t o. Von einer Uhrkette ist die Rede.
P h i l i p p E r n s t. Aber wie denn – Strippe?
O t t o. Zwischen zwei Platinkarabinern an den Enden
   sollte ein einfacher Bindfaden von der Uhrtasche zum
   Knopfloch laufen. Siekermanns Tod hat die Ausfüh-
   rung vereitelt.

P h i l i p p E r n s t. Strippe?

O t t o. Zum Frack.

P h i l i p p E r n s t. Teufel!

O e l s. C'est épatant!

P h i l i p p E r n s t. Otto, versprich mir, ich habe mit Sofie – kurz und gut – auf irgend etwas verzichtet.

S o f i e. Erlaube!

P h i l i p p E r n s t. Ich weiß: keine Rechnerei. Dennoch – als Äquivalent: sprich mit niemand von der Strippe. Oels, das ist meine Sache! Ich ließ dir die Redingote, mache dir die Geschichte mit Ottilie fix und fertig. Sie ist vollkommen erledigt.

S o f i e *(zu Oels)*. Haben Sie Absichten, Prinz?

O e l s. Darf ich auf Ihre Unterstützung rechnen, gnädigste Gräfin?

S o f i e. Wir sprechen darüber.

P h i l i p p E r n s t. Laßt mir die Strippe, Kinder. Abgemacht? Und ernstlich: reinen Mund halten zu jedermann! Ihr verbindet mich für ewig. *(Er reicht allen einzeln die Hand und geht in den Hintergrund.)* Was wird Easton sagen?

C h r i s t i a n. Ist eines Systems Höhe erreicht, steht die Möglichkeit eines Wechsels stets vor der Tür.

W i l h e l m. Exzellenz sehen die Sache historisch. Auf materialistische folgen idealistische Epochen. Übersättigung ...

C h r i s t i a n. Will Abwechselung.

W i l h e l m. Aber ich behaupte: Deutschlands besseres geistiges Teil ist von so grenzenlosem Haß gegen die Herrschaft des Geldes und jeder Überlegenheit, die aus seinem Verbrauch folgt, erfüllt, daß nur Ausrottung des Prinzips es beruhigen kann.

S o f i e. Als theoretische Forderung.

W i l h e l m. Sie mag für den Anfang genügen.

S o f i e. Wer will sie bedeutend genug formulieren? Durch wessen Stimme wird sie als tödliche Klage durchdringend hörbar?

C h r i s t i a n. Das ist das wichtigste. Folgt das gesamte Volk einmal einem tönenden Schrei – wer weiß? Aber

wo ist das Hirn, *das* Selbstbewußtsein und *das* Gewissen?

W i l h e l m. Es wird zurzeit da sein, wie das Notwen-
dige stets pünktlich erschien.

O t t i l i e. Bestimmt.
                    (Blickwechsel mit Wilhelm.)

S o f i e. Umgekehrt. Ist erst der Mann da, folgt die Zeit.

C h r i s t i a n. Krey hat Vermutung, es ist nicht mehr
weit zu ihm.

W i l h e l m. Ich habe höchste Wahrscheinlichkeit.

S o f i e. Und dann?

W i l h e l m. Kein Mitleid, Gräfin.

S o f i e *(lacht)*. A la guerre comme à la guerre.

W i l h e l m. Tabula rasa.

S o f i e. Apostel und Predigten schrecken uns nicht. Was
not tut . . .

W i l h e l m *(stark)*. Feuer und Schwefel! Wir sind einig,
Frau Gräfin. *(Er erhebt sich.)*

C h r i s t i a n *(lacht)*. Teufel!

S o f i e. Il est fou.

P h i l i p p E r n s t. Krieg?

C h r i s t i a n. Revolution, Philipp Ernst!

P h i l i p p E r n s t. Ich gehe in einen Badeort. *(Zu
Oels.)* Man munkelt Krieg und so weiter. Hoffentlich
passiert nichts, bis ich mit meiner Uhrkette – ça c'était
bête. Ich gehe schlafen. Gute Nacht die Kompagnie.

C h r i s t i a n *(zu Wilhelm)*. Deutschland liegt in Ihrem
Sinn tief zu Boden, armer Kerl.

W i l h e l m. Noch ein etwas, und es schwebt auf!

C h r i s t i a n *(zu Wilhelm)*. Gehen Sie jetzt. Morgen
brauche ich Sie früh, da Sie nur noch achtundvierzig
Stunden bleiben wollen.

W i l h e l m *(Verbeugung, exit)*.

P h i l i p p E r n s t und O e l s *(exeunt)*.

C h r i s t i a n *(zu Ottilie)*. Er nimmt es verdammt
ernst – der!

O t t i l i e. Er darf es.

C h r i s t i a n. Liebst du?

O t t i l i e. Vielleicht, Vater. Ich glitt, mitgerissen, in
eine Bahn.

C h r i s t i a n. Angekurbelt? Dann los ins Leben! Bist
flügge, Junges. Sag adjeh dem Alten. Nun kommst du
schon irgendwo an, mit oder ohne ihn; was macht's,
da du fliegen kannst? Adjeh; adjeh!

O t t i l i e. Gute Nacht, schlaf gut, Vater. *(Umarmung,
exit.)*

C h r i s t i a n. Gehst du auch schon hinauf, Otto?

O t t o. Ich bitte, mich zu beurlauben, Exzellenz! *(Exit.)*

C h r i s t i a n. Ein Hauptthahn, unser Otto. Immer kor-
rekt.

    (Das Licht ist bis auf eine Lampe gelöscht.)

ZWEITER AUFTRITT

S o f i e. Warum ermutigst du diesen Nichtstuer in seinem platonischen Geschwätz?

C h r i s t i a n. Krey setzt Leben an die Sache, hat einen
Auftrieb, der mir schon warm machte.

S o f i e. So sieht der Mensch nicht aus, der Völker er-
schüttert.

C h r i s t i a n. Seine Gedanken zur Sache sind bedeutend. Trifft er erst völlig ins Schwarze – dem Publikum nicht allein steckt Grauen in den Knochen, die
Eingeweihten schlottern vor dem Brüllen der Gold-
lawinen, die wir über uns angehäuft, und die jetzt mit
Herabsturz drohen. Was sagst du zu einem Streik der
Konsumenten?

S o f i e. Aus welchen Ursachen heraus?

C h r i s t i a n. Aus einer sittlichen Forderung. Jeder
Verbraucher sparte ein wenig, nur einen Schuhknopf,
einen Nagel, ein Stück Papier ...

S o f i e. Warum sollte er, da wir sie immer billiger pro-
duzieren?

C h r i s t i a n. Weil ihm der Dreck über denselben Lei-
sten, den wir ihm aufhängen, endlich zum Hals her-
aushängt, weil er vielleicht wieder einmal Anständiges
in der Hand haben will. Weil der massenweise Verschleiß aller Lebensutensilien ihn erzogen hat, auf das
einzelne nicht mehr zu achten, und er Gefühle, Urteile

und sich selbst hinwirft und verbraucht wie das übrige
und ihnen keine Qualität mehr geben kann. Weil ihn
das endlich in tiefster Seele ekelt. Oft habe ich euch
gesagt, laßt neben dem rastlosen Nachdenken, wie
man von dem gleichen Artikel in derselben Zeit das
Doppelte und Vielfache herstellen kann, in allen Be-
trieben, Laboratorien darüber arbeiten, wie gleichzei-
tig Materie verbessert würde.

S o f i e . Man kann nicht mit zwei Prinzipien arbeiten,
die einander widersprechen. Wir dringen auf Simplizi-
tät, Massen, nicht Maßgeschäft. Alles Besondere ist uns
Greuel, da es aufhält.

C h r i s t i a n . Das sehe ich, Toren. In den Glaswerken
triumphiert die Glühlampe aus schlechtem Glas, zu
zehn Millionen gepreßt, und die Qualität der Mikro-
skope ist zum Gotterbarmen. Ich habe mich stets diesem Drang entgegengestellt.

S o f i e . Solche Gedanken finde ich im Gegenteil ganz
neu an dir; vielleicht schon die Früchte der Kreyschen
Lehrsätze und erste Angstzustände. Wer hat Kapita-
lien gehäuft, monopolisiert und unablässig fusioniert?
Wer hat immer neue Millionen aus der Vorstellung
gestampft, die jetzt verzinst werden sollen? Womit um
Gottes willen? Unsere Generation hat den Industriestaat fertig von euch übernommen und lehnt für seine
Basis alle Verantwortlichkeit weit von sich ab. Jedes
Rezept habt ihr uns und das Hauptbestandteil aller
Rezepte übermacht: Skrupellosigkeit. Wir gründen
wie ihr, weit vorsichtiger und geschäftskundiger sogar,
ohne freilich irgendwie sehen zu können, wohin das
alles geht.

C h r i s t i a n . Und ein unglücklicher Krieg?

S o f i e . Man wird sehen. Ich habe keine Angst.

C h r i s t i a n . Nach uns Zusammenbruch! Wir sind reif.
Hätte dieser Mann nur ein wenig unsere Kenntnis.

S o f i e . Es ist immer nur ein wenig, was der Welt zu
Erlösungen fehlt. Übrigens sind diese Sentiments an
dir erstaunlich.

C h r i s t i a n . Ich habe sie nie ganz verloren. Was hat
man Besseres in Ermangelung von Gefühlen?

S o f i e. Willen.

C h r i s t i a n. Ist er eisern bewiesen? Klein habe ich an-
gefangen, meine Eltern hatten drei Stuben, Magd, Ka-
narienvogel. Mich gedrückt habe ich anfangs, geschob-
en und nachgemacht; ich war Abenteurer und Snob.
Schließlich angekommen, ohne Vorurteil. Mit einigen
geretteten Sentiments.

S o f i e. Man sollte meinen, es geht dir schlecht.

C h r i s t i a n. Es geht mir schlecht. Ich mache Bilanz
und fühle, von menschlichen Empfindungen mehr als
von eigenen besessen: möchte es diesem oder einem
anderen gelingen, von Grund auf Zustände zu erschüt-
tern, die wir geschaffen.

S o f i e. Das ist Konkurs. Wie es falliten Firmen geht –
du erlaubst, ich ziehe mich für meine Person und meine
Geschäfte entschieden von dir zurück.

C h r i s t i a n. Du hast es ganz entschieden schon getan.
Was ich aber soeben anvertraut, ist verwandtschaft-
liches Geheimnis, mehr schon Kunde aus dem Jenseits.
Aus Gründen der Repräsentanz fordere ich für mein
irdisches Leben, du schenkst den Befehlen des General-
chefs unserer Häuser in Zukunft mehr Aufmerksam-
keit als letzthin.

S o f i e. Es ist unmöglich, vom Krankenzimmer große
Entscheidungen sicher zu treffen, wie aus dem Brenn-
punkt der Betriebe.

C h r i s t i a n. Der ist noch immer hier! *(Zeigt seine
Stirn.)* Wo das kleinste Rad der winzigsten Maschine
einst konzipiert und in Gang gesetzt wurde. Dich habe
ich als meinen Buchhalter auf den Kontorstuhl gesetzt.

S o f i e. Auch ich sehe heute in die letzte Verzahnung
des Wirtschaftsbetriebes wie du. Mein Lehrlingsstück
habe ich abgelegt.

C h r i s t i a n. Die Herausgabe von Aktien eines Unter-
nehmens, das arbeitend gar nicht existiert, erst in fünf
Jahren zu leben anfängt?

S o f i e. Ist das ein neuer Gedanke?

C h r i s t i a n. Er ist albern, weil so verbrecherisch, daß
ihn der Dümmste durchschaut, und der Urheber bis
ins Mark blamiert sein muß.

S o f i e *(reicht ihm ein offenes Telegramm)*. Das Aktienkapital ist überzeichnet.

C h r i s t i a n. Einhundertfünfzig Millionen. In fünf Jahren zu vereinnahmende Zinsen vierzig Millionen Mark Gewinn. Passiva?

S o f i e. Der Aufsichtsrat hat das Recht, den Aktionären eine Dividende von vier Prozent zu zahlen.

C h r i s t i a n *(lacht laut)*. Das Recht – ist wundervoll!

S o f i e. Der Ausdruck ist von mir. Aber die Aktionäre kein Recht, sie zu fordern. *(Lacht.)*

C h r i s t i a n. Die Tragik solchen Vorgangs sollte Krey für die Welt mit meinen Augen sehen können – und die Komik.

S o f i e. Was haben Nörgler unserer Systeme solchen Erfindungen entgegenzusetzen?

C h r i s t i a n. Nichts als ein reines Herz, wenn's hoch kommt. Es ist zum Lachen! Also gut gemacht. Die vierzig gestohlenen Millionen gefallen mir. Du bist die Kanaille, für die ich dich halte.

S o f i e. Danke.

C h r i s t i a n. Erscheinen deine Einfälle maßvoll neben den meinen, mag's hingehen. Wie aber wagst du, meine Befehle zu kontrekarieren?

S o f i e. In der Frage der betreffenden Gewehrlieferung schien mir und anderen meine Auffassung überlegen.

C h r i s t i a n. Was dir scheint – *(Schreit.)* Wie darfst du bei Untergebenen die Überzeugung von meiner Unfehlbarkeit schwächen?

S o f i e. Weil ich die Meinung von der meinen stärken muß, von der meines Gatten will ich sagen.

C h r i s t i a n. Dieser Wallach!

S o f i e. Ich bin schwanger!

C h r i s t i a n. Du lügst!

S o f i e. So wahr mir Gott helfe!

C h r i s t i a n. Eine Rasse Beeskow in meinem sauberen Nest? Das kann der Himmel als meinen Lohn nicht wollen! Den Jungen, Ottilie um ihr Erbe bestehlen und von meinem Sessel her, von meinen Gnaden Weisheit orakeln, Täubchen? Gleich sollst du sehen, wie feurig mein Wille noch dagegen arbeitet.

S o f i e. Die holländische Regierung akzeptiert unsere
Lieferung.
C h r i s t i a n. Akzeptiert sie? Haben wir den Auftrag?
Heraus mit dem Bestätigungstelegramm, Püppchen!
Warum zögerst du?
S o f i e. Es muß jede Stunde eintreffen.
C h r i s t i a n. Muß es! Denn wir haben ein bengalisches
Streichholz abgebrannt. Hoch Calvin, hoch die Augs-
burgische Konfession! Göttlich! Aber was macht plötz-
lich der Papa – was macht denn, Gott verdamm mich,
das alte, schon abgetakelte Papachen? *(Er macht ein
paar Tanzsprünge.)*
S o f i e. Beherrsch dich!
C h r i s t i a n. Daß dir die Leibesfrucht verdorre! Was
macht dieses Genie, *(reißt sie an den Armen zu sich
her)* dieses wirkliche Genie von Maske Vater? Was
erfindet die prachtvolle Kruke schließlich und schlägt
die ganze Wallachei und ihr verschmitztes Plänchen
platt in den Boden? *(Er dreht sich hüpfend weiter.)*
Hast du nicht gesehen – er –
S o f i e *(ist hinausgelaufen.)*
C h r i s t i a n. Wo bist du, daß ich dich mit meinem
Sieg zertrümmere!! *(Er stürzt ihr taumelnd nach, hinaus.)*

DRITTER AUFTRITT

W i l h e l m *(erscheint auf der Galerie. Über grauen
Unterbeinkleidern trägt er einen alten Überzieher. Er
späht über das Geländer und kommt, da er das
Zimmer leer findet, nach unten. Er spricht nach
oben).* Ich hole nur noch meine Papiere. *(Entnimmt
dem Schreibtisch ein Bündel Schriftstücke.)* Das ist
alles.
Wie glücklich der liebe Junge ist, daß ich so eins zwei
drei mit ihm komme. Aber wer konnte seinem An-
sturm länger widerstehen? *(Er geht zur Treppe zurück und summt.)* Und meine Seele spannte . . .
Zugleich tue ich etwas für des Mädchens Phantasie.
Der Unbeugsamkeit ihres sittlichen Willens ist noch

nicht zu trauen. Darum wird meine Flucht heute nacht
sie tausendmal mehr in die Vorstellung von mir, in
mein Gedächtnis zwingen. Flucht auf der Voraussetzung dessen, was, durch Blicke gestanden, zwischen
uns schon schwebt, muß ihr romantisch erscheinen,
macht ihr mein Heldentum bis zu seiner Erfüllung
plausibler als die erhabensten Ideen. (*Er ist ans Fenster getreten; sieht hinauf und hinaus.*) Lebewohl!
Denn ich kenne die Abgründe zwischen uns besser als
du und gehe. Weil ich weiß, du mußt die gesellschaft-
liche Kluft zu mir erst mit unstillbarer Sehnsucht aus-
füllen. Tausendmal wird dich erst noch Stolz in dich
und deine Sphäre zurückschnellen, immer wieder muß
erst unwiderstehliches Begehren nach dem Unbekann-
ten, Fremden deiner Hirnrinde eingeätzte Vorstellun-
gen besiegen.
Wie du selbst nur aufs manierlichste dich bewegst,
selbst in Batist und Seide gehst, aus denen du dich jetzt
entkleidest – da! Ihr Schatten! Schlaf wohl, Ottilie –
träume! – Hast du vom Männerauftritt, Männeranzug
deine eherne Meinung, ist ihr Gegenteil erscheint der
unbegreiflich, qualvoll, lächerlich. (*Er hat sich dem
Sofa und den Koffern Eastons genähert und stößt
einen derselben mit dem Fuß hervor.*) Als ob, hat man
die Mittel, es Verdienst wäre, solchen Firlefanz zu
tragen. Verdienst nicht, Notwendigkeit denkt sie. (*Er
hat einen bunten, sehr eleganten Morgenanzug, aus
einem weiten Beinkleid und einem westenähnlichen,
geärmelten Jackett bestehend, hochgenommen.*) So ent-
spricht's deiner Vorstellung. Das wäre auch von meinem Negligé deine Erwartung. In den kühnsten Träu-
men noch, selbst wo ich als hehrster Held, als reiner
Tor erscheine, dieses Höschen, (*lachend hat er sich die
Hose übergestreift*) solche Jacke, (*er zieht sie an*) so
stehe ich im Spiegel deiner Einbildung. Noch das Kett-
chen in die Tasche, die Mütze auf und, unbeschadet
innerer Eigenschaften, ist erst jetzt das korrekte Kli-
schee des wirklichen Mannes fertig. (*Vor dem Spiegel.*)
Nicht, daß es übel ist ... (*Summt.*) Weit ihre Flügel
aus ...

Zur breiten Allgemeinheit ist man sofort distanziert. –
Die Hemdärmel heraus; wirklich könnte man, das alles
mit Kennerschaft besitzend, gerade *den* Kreisen frei
entgegentreten, die man mit Pest und Tod bekämpft.
Einen Taschentuchzipfel heraus ...

VIERTER AUFTRITT

C h r i s t i a n *(stürzt herein).* Sie läßt sich nicht finden,
will mich um letzte Wollust betrügen. Wo ist sie? Wer
ist das? Hört mich, alle herbei! Beleuchtung, Rampe!
(Er schreit.) Aus ist's im Haag mit dem Karfreitags-
zauber! *(Er packt Wilhelm.)* Guter Freund, steht sie
da? Halt mich aufrecht – sagte dir doch, du wirst die
Glorie noch erleben. Ich reiße den Mund auf ...
O t t i l i e *(tritt auf im Nachtgewand und bleibt auf der
Schwelle).*
C h r i s t i a n *(auf sie zu).* Da ist sie, die der stolzen
Fregatte Wind aus dem Segel nehmen wollte, Sofie,
die kenternde Schaluppe. Katholisch – krepiere – tot
ist dein Witz, und Holland wendet sich mit Grausen.
Siehst du, Doktor, den Bruch in ihrem Auge? Katho-
lisch, allen Zeitungen telegraphieren, wurde Christian
Maske AG – wurde heute katholisch! Lichtstrahl!! *(Er
fällt vor der Schwelle tot zu Ottiliens Füßen.)*
O t t i l i e *(Aufschrei).* Vater!

FÜNFTER AUFTRITT

*Aus allen Türen kommen des Hauses Insassen in Nacht-
kostümen, Diener heben schnell den Toten aus dem Zimmer. Es entsteht durch die offene Tür ein lebhaftes Hin
und Her aller zwischen dem Raum, in dem man die Lei-
che geborgen, und der Szene. – Ein Diener erleuchtet die
Bühne. Man erkennt jetzt die modisch übertriebene
Pracht der Nachtkostüme, insbesondere Philipp Ernsts
und des Prinzen Oels, die wie Wilhelm eine Art Turban
dazu tragen, und ihre Übereinstimmung in etwa mit dem*

*Anzug Wilhelms. Wilhelm, scheu in eine Ecke des Pro-
szeniums gedrückt, steht, beide Hände vor dem Gesicht,
sich in sich selbst verkriechend. Alle Anwesenden drücken
einander durch Händedruck und Umarmung ihr Beileid
aus.*

O e l s *(zu Philipp Ernst).* Armer Junge!
P h i l i p p   E r n s t. Ein schrecklicher –
W i l h e l m *(wankt auf die Treppe zu).*
P h i l i p p   E r n s t *(zu ihm).* – furchtbarer Zwischen-
fall. Danke, danke!
> *(Reicht ihm die Hände. Mit Oels exit.)*

W i l h e l m *(bleibt vor der Treppe und schluchzt hoch
auf).*
O t t i l i e *(steht vor ihm).*
W i l h e l m *(verbirgt von neuem das Gesicht in Händen).*
O t t i l i e. Ich bin allein. Führe du mich! *(Sie umarmt
ihn.)*

SECHSTER AUFTRITT

F r i e d r i c h *(erscheint auf der Galerie, den Hut in der
Hand. Er eilt die Treppe herunter, steht dicht vor dem
Paar).*
O t t i l i e *(löst sich von Wilhelm).*
F r i e d r i c h *(der jetzt erst Wilhelm erblickt, macht
eine Geste des entsetzten Schreckens und hebt dann
die Hand gegen Wilhelm hoch zum Schlag).*
W i l h e l m *(außer sich).* Höre mich erst!
F r i e d r i c h *(mißt Ottilie, mißt Wilhelms Anzug mit
einem unbeschreiblichen Ausdruck, läßt die Hand sin-
ken und macht eine große, trennende Gebärde).*
W i l h e l m *(hat das Haupt gesenkt und läuft flucht-
artig hinaus).*
O t t i l i e *(folgt, nachdem sie Friedrich hochmütig ge-
messen).*
F r i e d r i c h *(setzt den Hut auf).*

SIEBENTER AUFTRITT

Ein alter Diener tritt auf.

F r i e d r i c h. Den Ausgang, bitte?

D e r D i e n e r. Durchs Vestibül – Wollen Herr Doktor nicht bis zum Morgen bleiben?

F r i e d r i c h. Nein!

D e r D i e n e r. Darf ich Pferde bestellen? Durch die Nacht ...

F r i e d r i c h. Ich finde den Weg.

D e r D i e n e r. Es ist schwarz. Ein Licht?

F r i e d r i c h. Muß sich finden! Gebe Gott – Leuchte zum großen Ziel. *(Durch die Mitteltür exit.)*

D i e n e r *(löscht mit einem Schlag sämtliches Licht, öffnet das Fenster. Es weht vom Winde die Gardine ins Zimmer).*

Finis

NACHWORT

„Es ist immer nur ein wenig, was der Welt zur Erlösung fehlt." Dieser Satz, den Carl Sternheim seinem Schauspiel „1913" als Motto vorangesetzt hat, war auch der Ausgangspunkt für die Entstehung des Stückes. Ihn zuerst schrieb Sternheim nieder, von ihm aus konzipierte er. Der Satz kehrt wieder im dritten Aufzug, als das Schauspiel seinen Höhepunkt erreicht hat; nur ist der verallgemeinernde Singular „zur Erlösung" dort in das konkretere „zu Erlösungen" verändert. In der Auseinandersetzung mit ihrem Vater Christian Maske spricht überraschenderweise Sofie ihn aus: konstatierend, kalt, im Tonfall der Endgültigkeit. Für sie ist die Hoffnung, es könne irgendwann das wenige dazukommen, Erlösung könne stattfinden, ein Sentiment.

Das stellt sie fest, nachdem Christian Maske seiner machtgierigen Tochter vorgeworfen hat, sie sabotiere die Absicht, in seinen Fabriken nicht nur die Massenproduktion anzuheizen, also die Umsätze zu steigern, sondern zugleich auch die Qualität der Waren zu verbessern. „Übrigens", sagt sie, „sind diese Sentiments an dir erstaunlich." Sofie sieht in ihrem Vater nur den rabiaten Wirtschaftskapitän, den einzig Gewinne an Geld und Macht interessieren. Und sie setzt ihm entgegen: „Unsere Generation hat den Industriestaat fertig von euch übernommen und lehnt für seine Basis alle Verantwortlichkeit weit von sich ab. Jedes Rezept habt ihr uns und das Hauptbestandteil aller Rezepte übermacht: Skrupellosigkeit." Christian Maske fürchtet einen Streik der Konsumenten, einen unglücklichen Krieg. Sofie aber bleibt gleichgültig angesichts des möglichen Zusammenbruchs, und diese Gleichgültigkeit entsetzt ihren Vater: sie enthält für ihn den Beweis, das System sei für den Untergang reif.

Von den Schauspielen der Maske-Tetralogie ist „1913", das dritte des Zyklus, das zur Zeit vermutlich aktuellste. Es zeigt die Maskes auf dem Gipfel der Macht und zugleich an der Grenze des Scheiterns. Christian Maske, Sohn des „zu sich selbst gewillten Viechskerls" Theobald Maske der „Hose", der in „Der Snob" seinen Triumph erzwungen hat: Einheirat in den hohen Adel, herrscht als Exzellenz Freiherr Christian Maske von Buchow über Fabriken und Millionen. Doch er ist alt, krank. Die Diadochenkämpfe haben begonnen. Die ungeliebte älteste Tochter Sofie attackiert ihren Vater, um später desto sicherer ihren Geschwistern die Anrechte abzulisten. Bruder Philipp Ernst ist ein ängstlicher Beau, dessen Lebensinhalt seine Garderobe und Erfolge beim Flirt sind. Das Mädchen Ottilie ist ihrer selbst noch nicht sicher. Die fordernde Liebe ihres Vaters, der sie als Nachfolgerin wünscht, verstört sie eher. Sofie wird mit beiden leichtes Spiel haben.

Nicht dem alten Christian Maske, sondern der skrupellosen Sofie, dem hübschen Schwächling Philipp Ernst, der zwischen Hilflosigkeit und mutigen Anwandlungen schwankenden Ottilie sind gegenübergestellt Ideen von einer größeren und besseren Zukunft, die sich konkretisieren in der Figur des Friedrich Stadler und die für Sternheim offensichtlich die Botschaft des Schauspiels enthalten. Nur zweimal tritt Stadler, sehr flüchtig, hervor. Auf der Szene repräsentiert die Zukunfts-Ideen Wilhelm Krey, Maskes Sekretär, in dem Friedrich Stadler, seiner mutigen, mitreißenden Schriften wegen, den Protagonisten der Zukunft zu sehen glaubt, der sich aber in den Spielen der dem Untergang Verfallenen verstrickt. Ottilie glaubt, Wilhelm Krey zu lieben, und dieser schwankt allzu lange zwischen dem erkannten Ziel und der eitlen Faszination, die ihn an Ottilie und die Maskes bindet. Stadler sagt sich am Ende des Stückes von Krey los. Sein Abgang bestimmt das Finale. Die Zurückbleibenden, verstört vom Tod Christian Maskes, sind gezeichnet.

„1913" war bewußt als ein prophetisches Zeitstück geplant. In dem autobiographischen Bericht „Vorkriegseuropa im Gleichnis meines Lebens", der 1936 im Amsterdamer Querido-Verlag erschienen ist, schreibt Sternheim: „,1913' am 14. Februar 1914 nachmittags fünf Uhr vollendet; gewiß, es enthalte nicht nur alles, was bis zu die-

sem Tag klipp und klar über der Welt Umstände zu
sagen war, doch in Friedrich Stadlers Person, die den
Umrissen des Dichters Ernst Stadler nachgebildet war,
auch schon die neue, mögliche Hoffnung einer klareren
Zukunft Europas als Prophetie in Stadlers letzten Wor-
ten: Diener: Sie wollen allein in die Nacht? Stadler:
Ich suche den Weg! Diener: Ein Licht? Stadler: Muß sich
finden: Leuchte zum großen Ziel!" Sternheim glaubte
fest an seine Prophezeiungen, die den Untergang des
kapitalistischen Europa und zugleich eine klarere Zukunft voraussahen, und er glaubte sie später bestätigt. In
der Tat ist der Weitblick erstaunlich, mit dem Sternheim
den Hintergrund einer Katastrophe fixierte, die kurze
Zeit später hereinbrach; das gilt auch dann, wenn Sternheim nicht schon am 14. Februar 1914, wie es in seiner
hinsichtlich der Daten nicht immer verläßlichen Autobiographie heißt, sondern erst Anfang Juli 1914 das
Schauspiel „1913" abgeschlossen hat, wie seine Frau
Thea Bauer-Sternheim in ihrem Tagebuch notierte. Was
im übrigen die Prophezeiung des Untergangs betrifft, so
basiert sie auf Sternheims origineller und scheinbar in
sich widerspruchsvoller Sozial- und Wirtschaftstheorie,
die im Dialog zwischen Christian und Sofie anklingt.
Diese wiederum hängt unmittelbar zusammen mit der
eigenwillig dialektisch angelegten Vorstellung Sternheims
vom Menschen, den er in seinen Dramen und später immer mehr auch in theoretischen und zeitkritischen Äuße-
rungen einerseits zu äußerster Rücksichtslosigkeit im Willen zu sich selbst, zu seinen Trieben und Wünschen her-
ausfordert, andererseits aber dazu, jedem anderen die
gleiche Rücksichtslosigkeit zuzugestehen. Sternheim will
die Mannigfaltigkeit der zahllosen Selbstverwirklichun-
gen. Daraus erhofft er sich „des Mitmenschen Zeitalter"
– eine Hoffnung, die allerdings schließlich in Verzweif-
lung umschlug.

Dieser Entwurf des Menschen und seines Verhältnisses
zur Gesellschaft ist in den zwischen 1908 und 1921 ent-
standenen Stücken, die Sternheim auf der Höhe seiner
Potenz zeigen (außer den bereits genannten vor allem
noch das ebenfalls zur Maske-Tetralogie gehörige Drama

„Das Fossil", die Komödien „Die Kassette" und „Bürger Schippel" und das Schauspiel „Tabula rasa"), dramatisch konkretisiert. Die Dialektik des Entwurfs wird auch in „1913" deutlich sichtbar. Sternheim verwirft keineswegs den Trieb, immer höher zu steigen, der Christian Maske aus der kleinbürgerlichen Dreizimmerwohnung seiner Eltern in den Prunk von Schloß Buchow getragen hat. Er bejaht auch die Mittel. Es gibt eine in dieser Hinsicht höchst aufschlußreiche Selbstinterpretation, und zwar in Sternheims Aufsatz „Kampf der Metapher". „Das Verdienst beanspruche ich", heißt es da, „in einer Komödienreihe, dann in Erzählungen, ein bis 1914 durch praktische Erfolge, große Bankguthaben hervorragendes Bürgertum als seiner eigenen, gehätschelten Weltanschauung unähnlich gezeigt zu haben. Ich rief zu keiner ‚Erziehung'. Warnte im Gegenteil vor einer ‚Verbesserung' der von Gott vollkommen geschaffenen Welt durch bürgerliche Absichten; machte dem Bürger zu seinen ‚Lastern', mit denen er Erfolg errang, Mut! – Es sei unwürdig, das Ziel, eigener brutaler Natur zu leben, ängstlich, metaphorisch zu umschreiben; es gehe damit bei seinem unbedingt auf sein Selbst gerichteten Urtrieb Kraft verloren. Auch käme ihm sonst der Proletarier zuvor, der mit aller Metaphysik ‚tabula rasa' zu machen begann, nachdem der Adel seit Menschenaltern praktisch-politisch lebte." Schließt man von hier aus zurück auf „1913", so ist zunächst nicht einzusehen, weshalb Sternheim – mit Christian Maske – aus Sofies Ichsucht und Machtgier darauf schließt, daß Untergang drohe, und weshalb er nun von fast romantischen revolutionären Ideen her eine Wende erhofft. Wie hängt das zusammen mit der Sicht der sozialen und wirtschaftlichen Zustände, wie das Zitat sie zeigt? Wieso hat Christian Maske, das – ihm vom Dramatiker eingeräumte – Recht, Sofies Skrupellosigkeit ganz anders, niedriger einzuschätzen als seine eigene? Wieso droht von ihr her Untergang?

Sternheim setzte auf „Ursprünglichkeit der Privatkurage", auf „revolutionären Subjektivismus", auf jedes einzelnen „eigene Nuance". Er praktizierte die Überzeugung, Widerspruch sei ein Element der Produktivität,

Kontrast eine Dimension auch des menschlichen Lebens und das Paradox etwas Natürliches. Von daher war er fähig, Bewunderer des Adels, Kapitalist (er war reich), Sozialist, Libertin, hingegeben Liebender, fordernder Ethiker, Individualist, Anwalt der Instinkte und der großen spirituellen Emphasen zugleich zu sein. Das Bild, das er vom Menschen entwarf, war bestimmt von seinem Engagement für das vielfältige Glück der Selbstverwirklichung jedes einzelnen in vielfältigster Originalität. Er bewunderte und unterstützte die verschiedenen Überzeugungen, Doktrinen und Parteien jeweils so weit, wie sie diesem Engagement zu dienen schienen und somit das „Zeitalter des Mitmenschen" als ein Zeitalter der völligen Befreiung des Ichs, der unabsehbaren Vielzahl von Ichs, vorbereiteten. Sobald sie sich Herrschaft über diese anmaßten, bekämpfte er sie. Er bekämpfte jede Form von Unterwerfung, auch jene unter vorformulierte Weltanschauungen. Und das geschah konsequent. Attackierte er z. B. die Ausbeutung, so attackierte er, als ein ebenso verhängnisvolles Laster und als Schwäche, auch die Bereitschaft, sich ausbeuten zu lassen, sogar in jener Form, die man als Opferbringen hochschätzt.

Philipp Ernst in „1913" ist allergisch gegen jede Schwierigkeit und damit gegen das reale Leben. Ottilie ist versponnen, unsicher, ängstlich. Beide sind zur Unterwerfung bereit. Sofie aber versimpelt den Elan zum eigenen Selbst, den Trieb, sich zu steigern und sich zu verwirklichen, in platten und kurzsichtigen Manipulationen mit Geld und Macht, die von ihrem Ich-Drang längst abgelöst und objektiviert sind. Christian Maskes Ichsucht, deren penetrante Erscheinungsformen in „Der Snob" bestimmt waren von gesellschaftlichen Zuständen, die sie abzuwürgen drohten, hat diese egoistische Verspieltheit keineswegs. Maske spürt noch, daß er zur Vollendung seines Ichs der Ichs anderer und des Bewußtseins der Zukunft bedarf, ja daß es Grenzen gibt, vor denen dieser Trieb ganz neue Formen suchen muß, um sich zu behaupten. Für Sternheim, der sich zum Ziel gesetzt hatte, „das bürgerlich-Ganze, nicht tragisch verzweifelt, doch von der eigenen Gänze restlos begeistert an seine Grenzen

rasend, zu zeigen" (Vorkriegseuropa), für Sternheim ist
auch Sofies Machtwille ein Moment nicht der Selbst-
behauptung eines Ich, sondern der Übermacht des Juste
milieu, der gleichgültigen Anpassung, der Verlogenheit
aus Mangel an Kraft zu sich selbst. Denn Sofie bleibt in
ihrer Fertigkeit, mit Geld und Interessen umzugehen zu
ihrem eigenen Vorteil, fern jenem vitalen Elan, jener revolutionären Subjektivität, jener Sucht „richtig zu denken, bewußt einem Ziel zu leben", die Sternheim noch in
dem bulligen Theobald Maske freigelegt hat. Und das
bedeutet ihm Untergang.

    Was aber fehlt der Welt zur Erlösung? In „1913" fehlt
die Fähigkeit, von der gegebenen Situation aus weiter-
zudenken, umzudenken, ein neues Ziel zu setzen. Die
gegebene Situation ist: Reichtum, Macht und Freiheit bis
zur Willkür. Sie provoziert nur Schwäche, und das selbst
bei einem Mann wie Wilhelm Krey. Andererseits ist das
Ziel deutlich anvisiert, und keineswegs allein in den
recht allgemein bleibenden revolutionären Ideen, für die
Friedrich Stadler sich einsetzt. Maske scheint Sternheim
fast näher zu stehen. Und Maske befürchtet Unheil, weil
„der massenweise Verschleiß aller Lebensutensilien" die
einzelnen erzogen habe, „auf das einzelne nicht mehr zu
achten, und er Gefühle, Urteile und sich selbst hinwirft
und verbraucht wie das übrige und ihnen keine Qualität
mehr geben kann. Weil ihn das endlich in tiefster Seele
ekelt." Das ist prophetisch bis heute – und bis heute er-
schreckend aktuell. Sternheim läßt Maske das entschei-
dende Moment ausdrücklich nennen: es sei erforderlich,
daß „Materie verbessert würde", und es geschehe nicht.
Maske ist daran nicht schuldlos. Er selbst hat, was sich
geändert hat, nicht rechtzeitig erkannt. Auch deshalb
werden weiterhin nur Quantitäten manipuliert. Wird
versäumt, aus der Dimension der Quantität, die in der
Überfülle zu explodieren droht, in jene der Qualität vorzu-
dringen. In der gegebenen Situation bedeutet das den Bruch
des menschlichen Grundgesetzes, an das Sternheim glaubte.

    In den Berliner Kammerspielen hat Sternheim das
Schauspiel, das aufzuführen während des Ersten Welt-
kriegs von der Zensur verboten war, „da die Aufführung

dieses Stückes in gegenwärtiger Zeit geeignet ist, den inneren Frieden zu stören", 1924 selbst inszeniert. Es war eine unter zahlreichen Inszenierungen nach der Uraufführung am 23. Januar 1919 in Frankfurt. Das Manuskript des Schauspiels ist verloren. Veröffentlicht wurde es zuerst in der Zeitschrift „Die weißen Blätter", schon 1915, dann als Buch im Kurt Wolff Verlag. Auch nach dem Zweiten Weltkrieg wurde „1913" mehrmals inszeniert. Die Warnungen, die es mitteilt, in Szenen von großem Zuschnitt, in den knappen, harten Sätzen ohne Beiwerk, die Sternheims dramatische Sprache charakterisieren, ließen immer wieder aufhorchen. Bleibt nur, stets neu auf sie hinzuweisen.

Heinrich Vormweg

BIOGRAPHISCHE NOTIZ

Carl Sternheim wurde am 1. April 1878 in Leipzig geboren. Seine frühe Kindheit verlebte er in Hannover. 1884 ließ sich die Familie in Berlin nieder, wo Sternheim in der Folge das Friedrich-Werder'sche Gymnasium und das Luisen-Gymnasium besuchte. Auf 1893 lassen sich erste literarische Versuche datieren; es entstand der Entwurf zu einem Stück über die Frauenemanzipation, *Eva* überschrieben. 1897 begann Sternheim in München sein Studium, das er später in Leipzig und Göttingen fortsetzte. 1898 wird erstmals ein Theaterstück Sternheims gedruckt: die Ehekomödie *Der Heiland.* 1900 Eheschließung mit Eugenie Hauth und Niederlassung in Weimar. 1902 wird Sternheims Sohn Carlhans geboren. Im gleichen Jahr wird in Dresden ohne besonderen Erfolg erstmals ein Stück von ihm in Szene gesetzt, das Gesellschaftsstück *Auf Krugsdorf.* In den folgenden Jahren schließen sich verschiedene dramatische Versuche an *(Ulrich und Brigitte, Vom König und der Königin, Don Juan),* doch erst 1909/10 ist Sternheims literarische Lehrzeit beendet. Vorher, 1907, hat Sternheim, nach der Scheidung von Eugenie Hauth, Thea Bauer geheiratet. Reisen nach Italien und vor allem nach Paris bereiteten

den Durchbruch vor. Er gelang Sternheim mit dem „bür-
gerlichen Lustspiel *Die Hose*, das am 15. Februar 1911
unter dem Titel *Der Riese* in Berlin uraufgeführt wurde.
In rascher Folge entstanden nun die meisten seiner wich-
tigen dramatischen Arbeiten (*Die Kassette* 1911, *Bürger
Schippel* 1912, *Der Snob* und *Der Kandidat* 1913/14,
1913 und *Das leidende Weib* 1914, *Tabula rasa* 1915).
Schon 1912/13, kurz nachdem er sich für einige Jahre
in La Hulpe bei Brüssel niedergelassen hatte, schrieb
Sternheim *Busekow*, die erste Folge von Erzählungen, die später unter dem Titel *Chronik von des zwan-
zigsten Jahrhunderts Beginn* zusammengefaßt wurden.
Nach dem Ersten Weltkrieg entstanden neben dem Ro-
man *Europa* auch eine große Anzahl meist polemischer
Aufsätze. Als Dramatiker hatte Sternheim jetzt weniger
Erfolg. Von den zehn bis 1930 verfaßten Stücken (*Der
Geizige* und *Der Stänker* 1916, *Die Marquise von Arcis*
1918, *Der entfesselte Zeitgenosse* 1920, *Das Fossil* und
Manon Lescaut 1921, *Der Nebbich* 1922, *Oskar Wilde* 1924,
Die Schule von Uznach 1925/26, *John Pierpont Morgan*
1930) fand nur *Die Marquise von Arcis* Beifall. Sternheims letztes Stück, *John Pierpont Morgan*, wurde bisher nie aufgeführt. 1927 trennte sich Sternheim von
Thea Bauer. 1930 heiratete er Pamela Wedekind und zog,
nach vielen unruhigen, in verschiedenen Städten Deutschlands und in Holland verbrachten Jahren, endgültig nach
Brüssel. Die Verbindung mit Pamela Wedekind hielt nur
kurze Zeit. 1936 erschien im Amsterdamer Querido-Verlag Sternheims letzte abgeschlossene Arbeit, die schon 1932
verfaßte Autobiographie *Vorkriegseuropa im Gleichnis
meines Lebens*. Sternheim, der schon in seiner Jugend
unter einer schweren Nervenkrankheit gelitten hatte, die
sich in den letzten anderthalb Jahrzehnten seines Lebens
verschlimmerte, starb am 3. November 1942 in Brüssel
an einer Lungenentzündung.   *V.*

Sternheims Gesamtwerk erscheint in 10 Bänden, hrsg. von W. Emrich
unter Mitarbeit von M. Linke, im Luchterhand Verlag, Neuwied. Es
liegen vor: Bde. 1–3 Dramen (1963/64), Bd. 4 Prosa I (1964), Bd. 5
Prosa II (1964), Bd. 6 Zeitkritik (1966), Bd. 7 Frühwerk (1967), Bd. 8
Unveröffentlichtes Frühwerk I (1969), Bd. 9 Unveröffentlichtes Frühwerk II (1970).